Gerente editorial > Silvia Portorrico

Editora > Natalia Ginzburg

Diseño de tapa e interior > Luciana Morteo

Fotos > Editorial Atlántida

Producción industrial > Sergio Valdecantos

ISBN 978-950-08-3629-6

Valenzuela, María
    Malena despierta : diario urgente de una madre a su hija . - 2a ed.
    Buenos Aires : Atlántida, 2008.
    184 p. ; 17x21 cm.

    ISBN 978-950-08-3629-6

    1. Narrativa Argentina. 2. Testimonios. I. Título
    CDD A863

Fecha de catalogación: 22/10/2008

María Valenzuela

Malena despierta

Diario urgente de una madre a su hija

*"Incluye información preventiva del Ataque Cerebral
por la Sociedad Neurológica Argentina"*

EDITORIAL ATLANTIDA

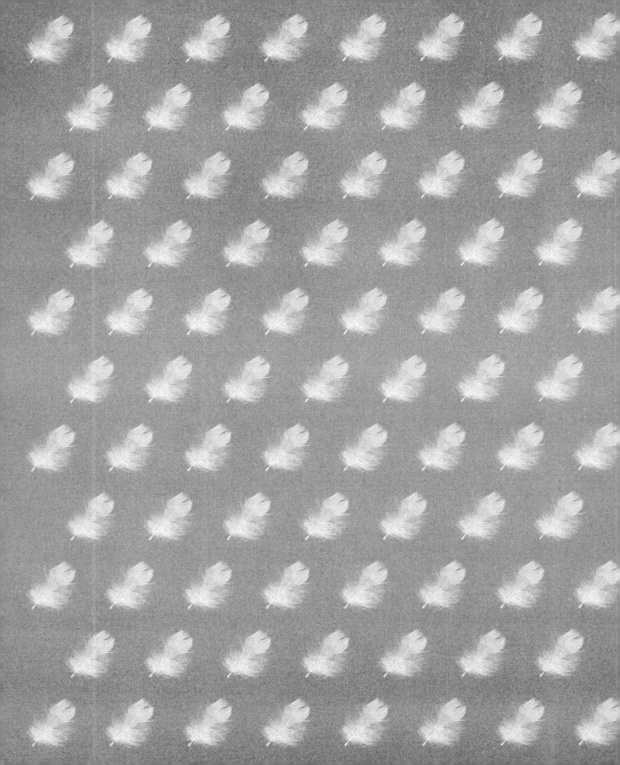

sumario

❊ Malena despierta ❊

Diario urgente de una madre a su hija

(A cargo de la Sociedad Neurológica Argentina)

PRÓLOGO

Cuando en 2002 pensé que por un buen rato ya había pasado la *mala*, después de quedarme sola con Malena tras la muerte de mi madre, de que faltaran el dinero y el trabajo, de que mis hijos varones tomaran partido por su padre en nuestra cruel relación, y decidieran irse a vivir con él…

Cuando de a poco aprendía a construirme de nuevo, desde abajo, a viajar y a disfrutar de los colectivos, a aceptar la maravillosa ayuda de los amigos… Cuando pensé que, por fin, la vida me iba a dar una tregua, un descanso a tanto dolor, llega el 10 de febrero de 2003, sorprendiéndome por completo: un accidente cerebro vascular deja a mi hija, Malena, en coma.

Súbita e inesperadamente, una vez más, tendría que demostrar y demostrarme que yo podía superar cualquier situación límite. Y que ser una mujer independiente y fuerte tal vez signifique que no hay obstáculos que no se puedan saltar.

Todo ocurrió tan rápido, que apenas podía procesarlo… Los acontecimientos se sucedieron. Entonces, como una autómata, comencé a escribir un diario. Este diario urgente, desesperado y esperanzado a la vez, de una madre a su hija. Como siempre digo, estuve iluminada, *guiada*. Y si hice lo que hice, fue porque algo mágico, seguramente "Dios", me lo transmitió. Alguien dijo que escribir acerca de una experiencia reduce la intensidad de su impacto emocional. ¡Escribir también es una forma de hacer catarsis! La escritura, entonces, me rescató y me puso a salvo de lo que podía llegar a ser la locura. La escritura de ese diario fue mi primera terapia; luego también busqué ayuda profesional y los amigos que siempre están. Pero desconocía, aún, el *otro* aprendizaje que significaría la escritura de este diario.

Cuando llegó la propuesta de hacer un libro con la historia de la recuperación de mi hija, intuí que mi experiencia era mucho más que una anécdota privada, personal y felizmente cerrada. Lo charlé con Malena, pues ella es la destinataria y dueña de aquellos sencillos cuadernos espiralados, escritos de puño y letra. Conversando, recordando, analizamos juntas todo lo que esta iniciativa implicaba, si se justificaba dar a la luz situaciones de nuestra vida privada. Siempre intentamos cuidar la propia intimidad y esto era algo muy privado, pero al mismo tiempo muchas situaciones y momentos fueron contados públicamente por nosotras mismas para devolverle a la gente algo más que la palabra "milagro". Entonces, nos preguntamos: ¿por qué no hacerlo? Hoy, tras repasar el trauma y el aprendizaje de lo vivido, Malena y yo pensamos que este libro puede llevar esperanza a personas que atraviesan situaciones límite, y convertirse en una compañía para apaciguar el tiempo. Conocer y aprovechar al máximo el papel que en estos momentos clave juegan la ciencia, los afectos, las creencias. Llegar a entender que en un hospital, en las salas de espera, en las noches de insomnio, en la recepción de un parte médico, doctores, familia, amigos, profesionales somos un equipo. Y que cada uno debe desarrollar su tarea sin obstaculizar la de los otros.

Muchas veces nos hemos preguntado a quién pertenece una carta, una foto, un diario… ¿A su autor, o a quien va dirigido? ¿Al que toma la foto, o al que fue retratado? Hoy sentimos que este diario ya no es solo mío o de Malena, y que compartir la experiencia de lo vivido puede llegar ser valioso para muchos, para otros.

Ojalá que así sea.

Buenos Aires, agosto de 2008

CAPÍTULO 1

❧ Todo cambia en un segundo ❧

La vida puede ser otra de un minuto al siguiente y no
está a nuestro alcance la posibilidad de hacer algo para
detener esta característica que le imprime fragilidad
a cada día. Ser consciente de este aspecto nos puede
ayudar, en muchas ocasiones, a valorar el instante
preciso que estamos transitando.

Me voy a dormir porque al otro día madrugo. Te quedás con Rama viendo una película y de pronto sentís una puntada fuerte en el oído. Te recostás sobre el pecho de Ramiro y a los segundos perdés el conocimiento.

Sufrís un pequeño desmayo. Te llevamos a la cama, prendo el aire acondicionado, me acuesto con vos y, al rato, vomitás. Te apoyás sobre eso en estado de inconsciencia. En ese momento empiezo a percibir que algo no anda bien.

Nunca te gustó vomitar. A nadie le gusta, pero vos lo vivís como una experiencia traumática, como algo terrible. Si ocurrió dos o tres veces a lo largo de tus diecinueve años, es mucho. Y siempre con una sensación horrible. Entonces, cuando te veo encima de eso con tu pelo por la cintura, ahí hay algo que no me cierra.

Lleno la bañera, tratamos con Rama de lavarte el pelo, te sumergimos en el agua con la ropa puesta —un conjuntito, especie de piyama, de short y musculosa— y vos seguís sin reaccionar. Llamo a la ambulancia y te trasladamos a la clínica Dupuytrén. Cruzamos la ciudad entre la lluvia, en medio de una tormenta descomunal. Llegamos a las 6 aproximadamente.

Es increíble cómo cada pequeño detalle cuenta. Con la

obra social ocurrió algo de película. A vos y a tus hermanos los había asociado una semana antes de que te ocurriera esto, no tenían cobertura hasta ese momento. Cuando llamé a la ambulancia me di cuenta de que todavía no me habían dado las credenciales, entonces piden que les dé el nombre. "Malena Vázquez Valenzuela", dije, y ahí me contestan que ya estabas ingresada como socia. Afortunadamente.

Cuando llegamos, seguías inconsciente. Deciden hacerte una tomografía computada. Llamo al canal para decir que no voy a grabar el capítulo de *Costumbres argentinas*.

Hasta este momento, no estaba muy preocupada. Es más, el primer médico que te vio, un neurólogo, nos había dicho que los signos no indicaban que fuese nada grave.

Esperamos con Rama el resultado, sale la doctora y cuando viene hacia mí veo su cara "seria" —los médicos siempre son formales— y me dice: "Tiene una mancha en el cerebro".

13

Me cayó la ficha de tal manera que creí que me moría. Rompí en llanto preguntándome: "¿Por qué? ¿Por qué a vos?". Y nadie me lo puede contestar hasta el día de hoy. No entendía bien, no me dijeron derrame cerebral ni nada por el estilo, sólo escuché "tiene una mancha en el cerebro". Esas palabras ingresaron en mi mente como un golpe certero.

Yo estaba de pie, en el pasillo angosto, y se me aflojaron las piernas. De pronto reaccioné, recién en ese momento. No sé qué me pasaba antes, venía pensando que ya había pasado todo. O tal vez no pensaba nada. Estaba como dormida, medio atontada.

Urgente a terapia intensiva. Ubican a un especialista para hacerte un estudio llamado angiografía que permite detectar el diagnóstico de la mancha. Dicen que tenés "una malformación congénita". Se produjo un derrame en tu cerebro y optan por operar. Hay que quitar la sangre acumulada para descomprimir el cerebro. Comienzan a operarte a las 13 y no terminan hasta las 16.

A eso de las 20 llamo a Fernanda, tu amiga del alma; luego a Silvia y a Rodrigo, y les dejo dicho en el contestador que les avisen a los chicos. A Fer le digo que llame a Pirillo, porque sé que es como un hermano para vos. Previamente, desde casa, llamé a Horacio, mi terapeuta, y después a tu abuela Beba para que le avise a tu padre.

Pensé que iba a resultar más fácil volver a contar la historia, pero te tengo frente a mí y no puedo seguir escribiendo. Ya nos vamos a encargar de contarte al detalle lo vivido entre todos. Somos muchos.

Cómo te hiciste amar, de qué manera tan fuerte te quieren tus amigos y sus padres, tus enamorados, tus ex's —vinieron todos: Juan Martín, Mauro y Rama—. Sin quererlo, juntaste a los tres.

Es muy difícil comprender cómo, literalmente, de la noche a la mañana nos cambió la vida. Uno no es consciente hasta qué punto todo, absolutamente todo puede modificarse de un segundo al siguiente.

Y en algún sentido está bien que así sea, si no cada acto que ejecutamos tendría un peso tan fuerte que nos resultaría casi imposible lograr darlo. No tenemos nada bajo control. Esa es la pura realidad. Aunque carguemos nuestras agendas de ordenadas anotaciones y programemos exactamente qué día y a qué hora haremos tal o cual cosa, lo cierto es que de un minuto a otro todo puede cambiar. La vida puede cambiar. Lo que entendemos por "nuestra vida", ese sencillo fluir cotidiano de elecciones que construyen proyectos, caminos y estructuras que van conformando día a día lo que somos puede desvanecerse en un abrir y cerrar de ojos. Es tan frágil como eso. Tan solo un parpadeo y dejamos de ser lo que éramos.

Como actriz, estoy acostumbrada a ponerme en el cuerpo de diferentes personas, con distintas historias, vidas que son en todo ajenas a la mía pero que puedo llegar a

15

comprender como si fueran mi propia vida. Actúo desde que tengo siete años. Esta experiencia de "ser otra" y reflexionar sobre una realidad que puede ser completamente diferente es algo que no me resulta para nada ajeno. Pero comprender que es la propia realidad la que da un vuelco inesperado es un golpe fuerte. Demasiado fuerte. Además, no se trataba solo de entender, asimilar la situación y acompañar a Malena como cualquier madre lo hubiese hecho. En mi caso, por el grado de exposición que tengo yo y que tenemos nosotros como familia, a veces se torna más difícil vivir estos momentos de intimidad.

Uno se ve obligado a dar explicaciones y a transmitirle al público qué es lo que está sucediendo, como si se tratara de una extensión de la familia.

Manejar ese límite entre respetar a la gente que te apoyó durante tantos años de carrera y por otra parte comprender que uno tiene la necesidad de respetar su momento de vida y tiene derecho a vivirlo en la más cerrada intimidad familiar, y con los amigos, por momentos puede ser un tema complicado.

El bendito y eterno tema de las dobles caras. La televisión y el teatro son ámbitos que me dieron todo, me permitieron crecer, vivir de lo que me apasiona desde mi más temprana niñez. Pero también me convirtieron en un personaje público que haga lo que haga siempre tiene cerca una mirada. Siempre están esos ojos analizando lo que una hace. Siempre aparece el rollo con el qué dirán. Siempre, en algún lugar. Pero ahora cada vez menos. Hagas o no hagas siempre van a tener algo que decir. Me atrevo mucho más ahora, que salí del sótano y trato de mantener mi privacidad y un perfil bajo, pero no tan exageradamente como antes.

Mientras yo me quedo a tu lado, montando guardia sin moverme, tu padre –que por algo fue periodista y sabe perfectamente cómo funcionan los medios de comunicación– se encarga de mantenerlos informados y darles lo que necesitan saber para hacer su trabajo. Se convirtió en algo así como vocero de la familia. Cada vez que entra o sale de la clínica da partes diarios a los periodistas que montan guardia.

Por la época en la que ocurrió todo, yo estaba actuando en *Porteñas* en el teatro Paseo La Plaza. La obra la dirigía Manuel González Gil y la protagonizábamos con Virginia Lago, Betiana Blum, Susú Pecoraro y Carolina Peleritti.

Ese día, terminó la función y Malena se fue con Rama, a acompañarlo porque se iba a jugar al fútbol. Después volvieron a casa, se quedaron mirando una película de Woody Allen y yo me fui a dormir porque tenía que madrugar.

17

Cuando ocurrió todo esto, en el teatro me apoyaron muchísimo. Era una situación difícil y tuvieron que reemplazarme. En la televisión también el apoyo fue total. En *Costumbres argentinas* mi personaje era central, Clara es el rol protagónico femenino de la tira de Ideas del Sur que emitía Telefé. Los guionistas lo resolvieron bárbaro: Clara partió en un viaje repentino a Pergamino con solo unas cartas a modo de despedida. Los libretistas idearon este recurso para poder continuar con las grabaciones sin mi participación. Yo no podía moverme de tu lado y por suerte todos lo comprendieron muy bien desde un primer momento.

Cómo es la vida. Una cree que acaba de salir de atravesar la peor de las batallas y, sin embargo, a la vuelta de la esquina te espera otro desafío. No tenemos nada bajo control. Nada. Nunca, nada. Por eso mismo, cuando el escenario no se presenta tan hostil, hay que disfrutar de la vida al máximo y no hacerse problemas por cuestiones pequeñas. Pero claro, para llegar a pensar de este modo a veces uno tiene que pasar por esas situaciones límite que obligan a replantearte cada aspecto de tu vida. En este caso, nuestro intenso vínculo madre-hija se puso a prueba como nunca antes. Siempre nos quisimos, siempre fuimos muy unidas, siempre la amistad que hubo entre nosotras más allá del simple hecho de ser una madre y otra hija fue algo muy lindo, muy disfrutable. Y de pronto, todo eso, esa hermosa relación que habíamos construido a lo largo de dos décadas de amor entrañable, podía desaparecer en un segundo.

Veníamos de un año difícil. Y lo estábamos enfrentando apoyándonos mutuamente. Éramos un verdadero equipo que trataba de pasar ese duro 2002. Fue como si la familia se hiciera pedazos. Como le pasa a un objeto valioso de cristal cuando se cae al piso y queda hecho trizas.

No solo el país estaba saliendo de una crisis profunda, la del 2001, sino que nosotros, como familia, acabábamos de atravesar nuestra crisis más intensa.

Mi mamá venía de siete internaciones. Estaba muy enferma y me la había llevado a vivir a mi casa, con los dos varones y Malena. Los chicos dormían en una especie de estar porque la habitación de ellos se la habíamos dado a mi mamá. En vacaciones de invierno, Julián y Juan piden ir a vivir con su papá.

Y el 20 de julio muere Lucía Haydeé (mi mamá). El Día del Amigo. Malenita y yo nos quedamos solas. Tenemos que dejar el departamento y nos vamos a uno que elige Malena. Empezamos de nuevo las dos solas. También vivíamos con Elsita (la empleada) que era una más del equipo.

Es muy fuerte todo esto, las cuestiones familiares y el modo en que vamos enfrentando los diferentes momentos, los cambios. Las mujeres todavía conservamos un mandato sobre el matrimonio para toda la vida, "hasta que la muerte nos separe"... Yo no creo en el amor eterno dentro de la pareja, me hubiera gustado que me pasara, pero no fue así. El único amor eterno es el de una madre por sus hijos. Los míos, Malena, Julián y Juan, fueron fruto de un largo matrimonio de veinticinco años con Juan Carlos *Pichuqui* Mendizábal. Con él nos divorciamos en el 2002. Tuvimos varias separaciones, en veinticinco años pasamos por todo: nos separamos, nos reconciliamos, vivimos en casas separadas estando juntos, y finalmente nos divorciamos, con papeles y todo.

Cómo viven los hijos este proceso es algo que uno no puede manejar. Los hijos siempre toman partido en un primer momento, después empiezan a comprender y a ponerse en el lugar del otro. En mi caso, los varones tomaron partido por el padre, y Malena tomó partido por la madre. Para mí fue doloroso aceptar que mis hijos varones quisieran vivir con el padre, pero hoy después de tanto tiempo, puedo entenderlos.

En ese entonces, la enfermedad de Malena cambió todo. Fue de a poco, pero las piezas que estaban sueltas empezaron a armarse de nuevo. Lamentablemente tuvo que pasar lo de Malena para que la familia se volviera a unir, porque había dos bandos: los nenes con los nenes y las nenas con las nenas. A partir de lo que pasó, ella pudo volver a tener un vínculo con su padre y con sus hermanos, y sus hermanos volvieron a tener un vínculo conmigo...

A veces me enojo mucho y pienso "por qué tenía que ser de esa manera", pero la vida me demostró que no había reconciliación posible si no pasaba algo grosso.

En esos tiempos de mudanza, debuto con *Porteñas* en el teatro y también arranco en la tele en *Costumbres argentinas*, de Ideas del Sur, con Carlos Andrés Calvo. Era todo muy intenso. Si bien trabajo desde los siete años, y siempre estuve en ciclos exitosos, desde el primero (empecé en la tele en *Jacinta Pichimahuida*), justo ese año tenía un altísimo nivel de popularidad. El *rating* en la tele nos acompañó siempre, y en el teatro llenábamos la sala.

El 10 de febrero se desata todo esto. Malena, que hacía dos años había terminado la escuela secundaria, estaba conociéndose con Ramiro, que era el sonidista de la obra *Porteñas*. Entonces, ella venía todas las noches al teatro, me veía a mí y lo veía Ramiro.

El día que sucedió el episodio los dos estaban juntos en casa. Nosotras veníamos golpeadas y muy unidas. Éramos un sostén. Nos sentíamos solitas, apoyándonos la una a la otra. Y cuando pasa esto no lo podía creer. Para mí era el fin del mundo. De la noche a la mañana mi hija estaba a punto de morirse. A partir de esto que pasa se acercan el papá y los hermanos, después de meses de distancia.

Cuando te sucede esto, que nos agarró de sorpresa a todos, la incertidumbre acerca de tu salud era muy difícil de sobrellevar.

Sin pensarlo, me volqué a escribir ante la imperiosa necesidad de llevar un registro de todo lo que acontece para que después pudieras reconstruir tu historia.

CAPÍTULO 2

❧ La tribu ❧

En las situaciones límite los amigos se vuelven todavía más imprescindibles y cercanos. Contienen, son un sostén importantísimo y ayudan a calmar la angustia. El más mínimo gesto de ellos nos suma. A veces, solo con la presencia alcanza. Sentir que hay lazos sociales que están más allá del tiempo y de las circunstancias es una de las emociones más reconfortantes en medio de tanto dolor.

No sabés, Malena, ya pasaron más de 24 horas desde tu operación y los divinos de tus amigos están al pie del cañón, firmes, con una pequeña sonrisa de aliento, con llantos, preguntando todo el tiempo sobre los partes médicos, angustiándose y alegrándose. Todo me asombra. Adentro y afuera, porque acá están ellos, tus amigos de la vida, los que supiste cosechar con años y años de momentos compartidos, risas y llantos. Pero la gente que está afuera, aquellos que no tienen relación con nosotras… la verdad es que me asombra la solidaridad que expresan.

Llaman por teléfono, mandan mails desde otras provincias, inclusive desde el exterior, me hacen llegar cartas, estampitas y cadenas de rezos. No estamos solas. Hay más gente de la que pensamos que está con nosotras.

Hubo un momento que fue emocionante para todos. Voy a verte a Terapia, paso por el *hall* y me encuentro a todos los chicos y chicas sentados en el piso formando un semicírculo con sus piernas cruzadas. Me dije: "Esto es una tribu. Están reunidos como indios alrededor del fuego, orando y mandando su energía a ese Dios (o como se llame)". Eso es lo que pensé en ese momento. Fue una gran contención, porque justo estaba con un poco de bronca por todo lo que nos estaba sucediendo. Todo me parecía gris, no podía entender que existiera un Dios. Porque si existe, ¿cómo permite que uno viva semejantes experiencias?

Después, con el tiempo, uno comprende mejor las cosas y se amiga con Él, con la vida, con uno mismo. En definitiva, la fe es importantísima para poder seguir adelante.

Lo gracioso es que cuando descubro a Guido Buonomo, le doy un beso y le veo una melena larga, me digo: "¡Ah, claro! Este es el cacique".

En el cuarto 351, donde duermo, un piso más arriba de Terapia, se quedaron varios de tus amigos.

Hace un rato la hice pasar a tu gran compañera Maru, para que te viera. Comenzó a hablarte como una especie de ametralladora nombrándote a todos los que estaban con vos. Algo debiste percibir porque tu presión empezó a subir y yo dije: "¿Vamos, Maru?". No sabía qué hacer y decidí sacarla de allí, porque me di cuenta de que te estaba inquietando.

Hoy también entró a verte Fernanda, si no me colgaba del palo mayor. Se lo prometí. Ojalá que no se enoje porque pasó antes Maru. Por las dudas voy a dejarla más tiempo.

Es raro. Viéndolo a la distancia, recuerdo que pasaba solo yo a tu habitación, y era yo la que decidía quién podía entrar, y hubo gente a la que no le permití ingresar. Los médicos decían que yo determinara a quiénes dejar pasar para que te vieran, personas que pudieran hacerte bien, que lograran concretar un contacto en tu inconsciente, que pudieran ayudarte. Por eso Fernanda y Maru entraron, como también lo hizo Betiana Blum, quien te agarró de la mano y comenzó a rezar. Solo tuvo contacto directo con vos, gente que yo sentía que podía transmitirte alegría, no quería personas a tu lado que más allá de ellas pudieran deslizar una lágima de lamento.

Ay, hijita, estoy un poco nerviosa, sentada en el piso como una india más de la tribu. Perdón, de *tu* tribu. Con mis piernas cruzadas, el cuaderno sobre ellas y el lápiz sin parar. Estoy más conectada con tus amigos que con los más adultos; los chicos me reviven, lloran conmigo en mi hombro porque se angustian o se ponen contentos ante un parte médico que dice que te bajó la fiebre. Comparto mucho con ellos. Siempre tuve muy buena onda con tus amigos. Y me gusta esto de " tu tribu", como imagen. Me aferré mucho a los chicos, ellos hacen vigilia y están aquí para dar apoyo incondicional.

En un momento, me asomé a pedir una lapicera y había montones de caritas esperando una noticia tuya. Las primeras que vi fueron las de Fer, Maru, Stella (tu tía) y un poco más atrás a Paul (pelado como vos).

Se van acumulando detalles cotidianos que hacen de esto un camino más llevadero. La compañía es muy importante. Por ejemplo, viene la divina de la nutricionista, Silvina, a preguntar qué quiero comer. Tu amigo de la infancia, Rodrigo Barbieri, me condimenta la ensalada y comparte la comida conmigo, porque yo a la noche mucho apetito no tengo. Merendamos café con leche, en mi habitación hay termos todo el tiempo, con café, leche, té, agua caliente. Así, los que estamos casi siempre podemos tomar algo calentito y seguir ocupándonos de vos.

Es tan importante contar con este grupo de contención incondicional. Son tu gente. Esos lazos que supiste construir a lo largo de toda tu vida hoy dicen presente. Acá están. No se mueven. Aguantan esta tormenta junto a nosotras. Y se brindan al máximo. Ofrecen hasta lo que no tienen. Tratan de aclarar a cada minuto que podemos contar con ellos. Es una red increíble. Suspenden casi todo, salen de acá para hacer lo imprescindible, dejan sus rutinas, hacen lo mínimo, después vuelven. Están. Alteraron sus prioridades. La prioridad ahora sos vos. Que vuelvas a estar con nosotros, viva, sana y feliz. El resto no importa en este momento. Lo único que importa es que ganes esta pulseada.

¡Cómo la peleaste, hijita! Los chicos hacían fuerza con vos y conmigo, estaban a la par. Todo el tiempo me preguntaban cómo andabas, con contención, madurez, respeto. Nos acompañaron bien a las dos, sin desubicarse, ni hacer lío: siempre concentrados, y haciendo una labor también. Esto de que yo saliera de Terapia y los viera sentados en semicírculo en el piso fue una imagen fuerte, estaban tirándole buena energía a Malena, tirándome buena onda a mí para que yo se la transmitiera a mi hija. Había un amor tan incondicional y caritas de ojos hinchados y enrojecidos de haber llorado pero de estar también ahí.

Era muy linda la imagen, dolorosa, intensa, pero era de esperanza, alentadora. Estaban haciendo fuerza conmigo, me estaban ayudando en esa patriada. Era con una mínima palabra que ayudaban, no puedo expresar bien en qué consistía su contención, no pasaba por grandes charlas.

Era un mimo, un beso, el estar, las caritas cuando volvía de Terapia para ver qué decía yo, sin atropellarme, simplemente estando atentos, para ver qué información traía de abajo. Esa era la contención.

Eran muchos. Primero aparecieron los del colegio, después los del boliche, después los del *country*. Muchos pibes. Pero los de la escuela, a los que conocía de chiquitos, estaban permanentemente. Después, con Fernanda a la cabeza ordenaron los horarios y turnos para venir y así evitar un descontrol. Entre ellos se pusieron de acuerdo para no mandarse todos juntos, porque había que tener en cuenta que también había otros enfermos. Estábamos en un piso, había otros pacientes y familiares y no se podía copar todo el lugar. ¡¡¡El respeto era para todos!!!

A los amigos de Malena los sentí con mayor esperanza, mucha fuerza, juventud, por eso me apoyaba sobre todo en ellos. Me pareció muy simbólico verlos a todos cruzaditos de piernas en semicírculo, callados, sin hacer lío en la clínica para no ser echados y con todo el respeto, muy concentrados en apoyar a Malena. Siempre los encontraba con los ojos bien abiertos, expectantes de las noticias que pudiera traerles de Terapia. Me apoyé mucho en ellos. Me quieren, se llevan bien conmigo, hablamos de igual a igual. Tenía a mis amigos, pero ellos para mí, eran muy importantes para sostener lo que se estaba viviendo.

La contención por parte de los míos tampoco faltó. Lo que pasa es que yo estaba todo el tiempo con vos, no veía que existiera ninguna razón que justificara alejarme de vos, porque yo lo único que necesitaba en ese momento era saber qué te pasaba, si había novedades, si te había subido la temperatura, si tus índices de presión estaban bien, si había un signo nuevo que pudiera darnos algún dato, aunque mínimo, sobre tu estado de salud. Y la única vez que salí lo hice con mi hermana del alma, Graciela Cino (Grace para los que la amamos). Ella vive en Pinamar, pero nada, ni siquiera los kilómetros de distancia con Buenos Aires resultaron ser un impedimento para que me acompañara. Largó todo y se vino; paraba en casa. Después de 9 días pude salir con Grace y Horacio (mi terapeuta) a caminar por Libertador, zona canal 7, y después a tomar un café. Fue bueno tomar un poco de aire. Eso sí, quedé agotada, boleada. Fue tanto verde y tanto oxígeno de golpe, después de pasar horas y horas encerrada, yendo nada más que del piso de arriba al de abajo, solo subiendo y bajando la escalera. No iba al *hall* ni a ningún otro lado, porque había prensa y gente que se filtraba, entonces iba de mi habitación a la de Malena, por la escalera. Ni el ascensor usaba. Sí iba a la cafetería del subsuelo. Ahí tomé un cafecito con Rita Cortese y tuvimos una hermosa e iluminadora charla sobre el budismo y cómo esta filosofía contempla los momentos de enfermedad.

Uno a veces se encierra en la dificultad del momento que está viviendo y no puede ver más allá. Pero de golpe comprende que de todo, hasta del más mínimo minuto, se puede aprender algo.

Y en estos momentos clave, a veces cargados de dramatismo, uno aprende mucho, a los golpes, en muy poco tiempo. Son experiencias extremas que te ponen a prueba y te movilizan en todo sentido. Todo tu ser está puesto en cuestión. Y no sabés cómo podés reaccionar. Lo mismo sucede con los amigos. Hay gente que no sabe cómo acompañar. Cree que no hay nada que esté a su alcance, que nada puede hacer. Y para uno, que la está viviendo, el solo hecho de sentirse apoyado, acompañado, de saber que no está solo en esa lucha, que hay muchas personas que te brindan su energía para que todo mejore y puedas salir del momento difícil, es algo importantísimo. Creo que es imprescindible para no bajar los brazos.

Por supuesto que hay momentos de quiebre y de tristeza, en los que parece que todo se viene abajo y no hay nada que pueda hacer para modificarlo. Pero entonces la fuerza de los amigos es un salvavidas que te mantiene a flote en medio de la tormenta.

Cuando llegó Grace, mi hermana del alma, amiga de la infancia, de la vida, fue un momento muy intenso. Y no podía ser de otra manera, ni con otra persona que decidiera alejarme un rato de Malena. Pude salir de la clínica con Grace. Me insistieron, varios, muchas veces. Y yo siempre me negué. Pero el motor para salir a tomar aire fue Grace, sabía que con ella me iba a hacer bien, y también con Horacio me pasaba algo similar. Él nos acompañó a las dos. Salimos por la puerta de atrás, para que no nos vieran los periodistas.

La siguiente vez que salí fue para ver el lugar adonde la íbamos a trasladar a Malena. Me llevó su íntimo amigo, Fran Brisco, en su auto, un sol de persona, y me ofreció sus ahorros. Le dije "todo bien Fran, si los necesitamos te voy a avisar". No hay límites para lo que están dispuestos a dar los chicos de la tribu. Siempre brindan todo de sí.

Otro ejemplo de la contención que estamos recibiendo de nuestros amigos: hoy a la mañana estuvo Gerardo Romano conmigo en el *hall* de la Terapia. Cuando se subió al ascensor y con gesto de dedos en la oreja (onda "teléfono"), me dijo: "Ya sabés. Lo que necesites, me llamás. Un café o dos lucas". Me reí. Es bárbara la frase. Un grande, Gerardo.

El apoyo y la contención son aspectos imprescindibles para poder enfrentar y elaborar una situación límite. En ese momento, uno focaliza la realidad de manera diferente, es extraño cómo reaccionan el cuerpo, la mente y las emociones.

Y sentirse acompañado en ese trayecto que te toca vivir es un lazo con la realidad que hace de esto un mal trago mucho más llevadero. Vas aprendiendo que podés focalizarte tranquila en eso que para vos es lo imprescindible, lo único que importa, porque detrás hay un red de personas dispuestas a encargarse de todos los demás aspectos que vos estás dejando de lado. Sentir que uno no está solo cargando todo el peso que estas situaciones límite tienen y exigen de uno es bastante tranquilizador, le quita un poco de estrés al momento.

Lo más importante para mí es estar a tu lado, hacer un seguimiento de tu situación segundo a segundo. Ir aprendiendo a comprender cuál es tu verdadero estado, qué es lo que te está sucediendo, hasta dónde llega el riesgo, cómo puede ir evolucionando, conocer cuáles son las probabilidades de curación, qué puedo hacer yo para ayudarte. Eso es lo importante. Nada de lo que ocurra afuera de las cuatro paredes de la Terapia intensiva donde están tratando de salvarte la vida me resultaba importante. De todo lo demás puedo prescindir. Soy tu mamá, y lo único que quiero es que vos, mi hija, sigas viva, sana, que puedas volver a estar consciente y entre nosotros, desarrollándote como persona, tomando tus decisiones, sonriendo.

Mientras fumo un cigarro en la escalera aprovecho para escribir. Hace un rato entré con tus hermanos. Julián y Juan pidieron verte. Te agarraron la mano, te acariciaron, te hablaron. Juan dijo que estabas igual al Chino (así le decimos a Julián). Le preguntaron al doctor De Simone para qué era cada cosa que tenías. Julián dijo que la máquina del respirador era buenísima, que parecía una compu y Dani, el enfermero, le contestó que no tenía jueguitos. Y Juan no paraba de preguntar y señalaba y tocaba todo a tal punto que le dije: "Cuidado, no desconectes nada". Te vieron bostezar y se rieron. Después subimos a la habitación y jugamos al truco con Rodrigo. Obviamente ganamos el Chino y yo, por las locuras de Chapita (así le decimos a Juan).

Tus hermanos al verte se quedaron más tranquilos con respecto a tu estado Y se desdramatizó la situación, porque a ellos les daba mucha impresión entrar a tu habitación. Hasta ese momento no habían querido ver cómo estabas, era muy fuerte para ellos. Se habían hecho toda serie de fantasías. Pero cuando tomaron la decisión y entraron, se quedaron tranquilos, porque se encontraron con su hermana. Un poco más hinchada (por las drogas) pero no dejaba de tener esos rasgos intensos y dulces que ellos recordaban.

CAPÍTULO 3

❊ El apoyo y la fe ❊

Todo el país expresa su compañía incondicional. No estamos solas. La gente es tan solidaria que hace hasta lo imposible para lograr demostrarnos que está con nosotras. Hacen cadenas de rezo, nos envían todo tipo de objetos, agua bendita, oraciones, brindándonos su energía para que lleguemos a un final feliz.

Estoy mirándote, transcurrieron 56 horas desde el episodio. A las 16 se habrán cumplido 48 horas desde la operación.

No estamos solas. Además de tus amigos, los míos, los familiares y todos los que nos conocen, también están presentes millones de personas que nunca nos tuvieron cerca, no nos conocen, pero que expresan su apoyo todo el tiempo. La solidaridad de la gente es increíble. No tenés idea de cómo movilizaste al país; hacen cadenas de oración para que te mejores. Además, es tremenda la cantidad de cosas que nos hacen llegar para darnos ánimo. La gente, como todos nosotros, no puede creer lo que estás pasando.

Yo estoy acá, aislada del mundo, solo me interesa estar a tu lado. No prendo la tele, no veo revistas. Me doy cuenta de la repercusión que tiene este hecho que estás viviendo por todas las cosas que me traen los que vienen de afuera.

Hay un chico de vigilancia que se encarga de alcanzarme los envíos cargados de cariño: cartas, agua bendita, estampitas, imágenes.

En este momento están peleando por mantener baja tu

presión intracraneana. Ahora leo que tenés 3, pero ayer a la noche y hoy a la mañana llegaste a 30. Tu estado es "coma farmacológico". Te tienen así para que tu cerebro no trabaje y pueda desinflamarse. Van a darte antibióticos porque marcaste un poco de fiebre (38 grados). Sobre tu pancita y manos colocaron cubeteras para que el frío baje la temperatura. Debajo de los pies también te aplicaron frío. Recién se fue el kinesiólogo. Tomó la medida de tus pies. Van a diseñarte unos corralitos que llaman valvas para que te mantengan derechas las piernas.

La presión de tu cráneo bajó a 2 y por momentos a 1. ¡Vamos bien, mi amor!

Te miro y estás tan igual a tu hermano Julián… Siempre se parecieron, pero ahora que estás tan hinchada por la medicación, te parecés más. Las cejas debajo del turbante blanco hecho con vendas, los ojitos cerrados y achinados, una sonda para alimentarte en la nariz (a la que veo más respingada) y tus bellos labios carnosos por la hinchazón que te provoca el respirador. Sos igual a tu hermano. Son "pura cepa Valenzuela".

Detrás de tu cama fui armando una especie de "altar" con todo lo que te mandan para que te cures. Fue instantáneo el aluvión de cartas, estampitas, el apoyo de personas de todos los puntos del país. Tu caso sensibilizó a distintos tipos de gente de manera muy intensa y espontánea. Sobre todo, los padres y las madres se identificaron conmigo, porque lo que le pasó a Malena surgió de la nada, no fue un accidente automovilístico donde se puede dudar acerca del origen que produjo la desgracia, de quién fue la negligencia, si hubo alta velocidad, etcéteras. No. Esto se produjo de la nada.

Los padres pensaron que esto mismo les podría suceder a sus propios hijos. Porque lo que disparó lo de Malena fue una malformación congénita, nació con ella.

Pudo haber no estallado nunca. Fue algo muy inesperado y la identificación resultó muy fuerte.

No sé cómo empecé, pero cuando subía a tu habitación le sumaba un elemento nuevo al altar que armaba con todas las demostraciones de afecto que llegaban. Cada cosa que me daban la iba poniendo allí. Vírgenes, las estampitas y un montón de recipientes con agua bendita y santitos formaban un altar. Los rosarios, también. Había uno de rosas que me trajo una maestra de tu hermano Julián del Vaticano. Al abrirlo, tenía un olor a rosas embriagador, y con ese rosario estuve todo el tiempo. Tu queridísima amiga Lau me trajo fotos tuyas de la escuela, del viaje de egresados en Cancún, en diferentes momentos, y yo las puse en la cabecera de mi cama de la clínica, donde dormía. Y también hay fotos que traje yo. Todas tus imágenes me acompañan antes de conciliar el sueño.

La vida sigue dándome sorpresas. No para. Estoy esperando en el hall de Terapia y se me acerca un señor. Se llama Luis y trajo una "piedra negra" (es volcánica). Me pidió que la pusiera cerca tuyo, también en tu mano, y cerca de tu cabeza. Dice que curó a un amigo que tuvo un accidente de auto en el que había perdido masa encefálica. Yo ya creo en todo, como comprenderás. No me importa qué haya que hacer para sacarte de esta, pero hago absolutamente todo.

Creo que la fe es una de las maneras que tenemos para alimentarnos de fuerza, energía y entusiasmo. Sobre todo en determinadas ocasiones, cuando uno se encuentra ante un presente muy difícil y la lógica convencional parece indicar que todo lleva hacia el desenlace menos esperado.

La fe es aquello que nos permite anclar en un lugar muy profundo de nuestro ser, un lugar cargado no solo de espiritualidad, sino también de motivación.

Una motivación que alimenta y realimenta la fuerza para seguir enfrentando, día a día, esas situaciones difíciles. Así es como, paso a paso, la pena nos resulta mucho más llevadera, gracias a esa esperanza que nos dice "esto también pasará" y de pronto, encarando cada día como si fuera el único objetivo a alcanzar, lo vamos dejando atrás y vamos saliendo de ese pozo. Cada instante es único e irrepetible y los buenos momentos hay que vivirlos al máximo, disfrutarlos y ponerles el cuerpo; y los malos pasan y ya los dejamos atrás. Lo bueno de experimentar momentos malos (aunque parezca un juego de palabras) es que nos deja una enseñanza en nuestro paso por el mundo. De las malas experiencias salimos tan enriquecidos que claramente no seríamos las mismas personas si no los hubiéramos vivido. Son instancias que nos permiten ir creciendo y volvernos más sabios. Pero sí, mientras las estamos sufriendo no es tan fácil alcanzar semejante grado de claridad mental como para ver todo con cierto margen de distancia.

Al lado de Malena, además del altar, había puesto el aparato de música y los CD que le habían grabado con la música que ella escuchaba. Eran seis discos: tres en inglés y tres en castellano. La música la había seleccionado Mauro, quien la conocía mucho. También tenía un *discman* con auriculares que le trajo Fran. Ahí yo veía con qué canción reaccionaba mejor, y estaba todo el tiempo con música. Resultó ser un excelente estímulo.

Me quedaba todo el día a su lado. La acariciaba, le miraba las piernas y los brazos, le ponía la piedra volcánica debajo de su almohada. Me sentaba en ese puf chiquito contra una de las paredes y la tenía enfrente. Las enfermeras iban y venían, la tocaban, le ponían una inyección, venía el médico… y yo intentaba pasar inadvertida, hacerme invisible para que no me echaran de la habitación. Había médicos que no me hacían salir y otros que sí. Cuando veía que venía el médico que sabía que me iba a sacar, me retiraba yo sola. Esperaba justo del otro lado de la puerta. Y no bien veía salir al doctor, me metía. Ha habido reuniones de los médicos y yo atrás, muda, hacía como que no los escuchaba y escribía. Pero estaba atenta a todo lo que decían. Tenía la necesidad de estar presente todo el tiempo.

En ese momento no leía nada de todas las cosas que nos mandaba la gente, las guardaba para leerlas después con Malena. Eso se lo llevó ella y hoy lo tiene atesorado en una caja, todo en orden: hay cartas, poesías e incluso un tango que un señor le escribió.

También me contaban que hacían cadenas de oración en todo el país. Misas para Malena. Me llegaba la información, pero no prendía la tele.

Ya cumplimos 75 horas desde la operación. Estoy tomando algo con la diosa de Bettiana (Blum), que estuvo con vos y rezó para que tengas toda la luz.

Silvina Chediek te mandó por el Tano, un compañero de teatro, una manito del Padre Mario que tenía colgando de su pulsera. Y yo encontré en mi pastillero otra imagen que me regaló el año pasado una vestuarista que es muy devoto de él y que tenía a su hijita con problemas de salud.

Es interminable la solidaridad de las personas. Se acercan para acompañar desde diferentes lugares, cada uno viene a compartir su experiencia. Hoy conocí a la mamá de Coni, tu compañera de colegio, que pasó por lo mismo. Vino a charlar conmigo para contarme lo que había vivido. A ella lo que le hizo estallar la malformación congénita fue oler un desinfectante muy fuerte mientras estaba limpiando. Después vi al papá de una nena de tu edad que sufrió casi lo mismo el 2 de noviembre de 2002 y salió a flote. Luego me encontré con otra chica de tu edad y su mamá. Estaban esperándome en el cuarto y me explicó que su cuadro fue peor y hoy estaba recuperada. La gente se acerca. Sobre todo los que vivieron casos similares. Se muestran y me dicen *"a mí me pasó lo mismo y mirá cómo estoy"*. Para mí, eso es un motivo más de esperanza, una lucecita más, una velita más que se prende. La gente viene espontáneamente al Dupuytrén, los encargados de seguridad de la clínica me consultan y si yo apruebo los hacen subir para que charlemos un rato. Los argentinos tenemos mil defectos, no lo niego, pero con el tema de la salud la gente abre su corazón y demuestra ser muy solidaria. En otras cosas, aspectos y ámbitos, somos muy egoístas, nos olvidamos de ver a los demás. Pero hay que reconocer que circunstancias como esta, cuando la salud está en juego, se produce una conmoción, hay algo que moviliza a las personas y las impulsa a colaborar, a ayudar con lo que se necesite.

Todo es tan loco… Tengo tu jogging, una remera blanca tuya, un buzo de Maru (color violeta "obispo"), medias y ojotas. Estoy muy de entrecasa, como se ve.

A medida que pasa el tiempo, me establezco más en este espacio que es lo más lejano a un hogar, pero de alguna forma se arma cierto entorno de comodidad…

No pienso en nada más que en acompañarte y en seguir tu evolución de cerca, cada minuto, sin tener que dedicarle tiempo a ningún otro aspecto. Así vestida subo y bajo las escaleras, siento que con esta ropa estoy cómoda y te tengo presente todo el tiempo.

En un momento apareció en Terapia una mujer que dice tener "manos sanadoras". Esto fue en el *hall* de espera, antes de atravesar la puerta y entrar en todo el ámbito de lo que es Terapia, habitaciones y el lugar de los doctores; yo estaba sentada esperando que me abrieran. La señora me pidió tocarte la cabeza. Le dije que entrar no podía, que te curara a la distancia como tantos que lo hacen con el rezo. Contestó que Dios le había pedido que lo hiciera con vos cerca. No la dejé pasar y ahora que estoy sentada mirándote, escribiéndote, la puerta se abrió y apareció esta mujer que solo te tocó los pies. Casi no la vi, se fue rápido. Nos miramos con las enfermeras sin comprender bien lo que había sucedido. Pese a los obstáculos que le había puesto, la mujer cumplió con su deseo. Tocó tus pies y salió. Quedé *shockeada*.

Estas cosas yo las recibía, pero era prudente, a la mujer no le permití entrar. Fue realmente muy extraño cómo se filtró. Para pasar a la habitación había que atravesar varios obstáculos: tocar un timbre, decir quién eras y recién ahí te abrían. Así que no sé cómo hizo la mujer, pero llegó hasta donde estaba Malena. Había tres habitaciones individuales y también estaba la sala de terapia grupal, la señora entró con decisión y cumplió con lo suyo. Yo casi no llegué a reaccionar, no salí a correrla, ni nada. La dejé. Por algo había logrado entrar. Hizo lo que ella dijo que tenía que hacer.

Para este momento, sentía que todo ayudaba, que todo sumaba. Confiaba profundamente en los médicos, porque veía todo lo que ponían: esfuerzo, dedicación, tenacidad. Había en ellos una actitud incluso hasta testaruda, tenían como objetivo sacarla adelante. Se había generado una energía poderosa, había un compromiso muy fuerte. Obviamente que los médicos tienen una gran responsabilidad con cada paciente, pero acá se había puesto en juego algo más. Había mucha preocupación, mucho esmero, una carga especial, en la calle pasaban cosas y arriba en Terapia también. Estábamos todos muy *cabezaduras*, insistíamos en que Malena se tenía que salvar. Y en ese sentido, bienvenido todo, dentro de una ecuación equilibrada de la energía de la gente, la fe, el deseo, las ganas que le ponían amigos y familia, la garra mía, más el trabajo y la fuerza de los médicos. Todo, absolutamente todo servía.

Estoy en la habitación. ¡Acabo de cortar con Sandro de América! Sí, Roberto Sánchez. Te manda un beso grande y desea que te recuperes pronto. Me contó que cuando le quitaron el respirador, después de seis días, perdió la voz y que está esperando recuperarla. También hablé con su mujer, que reza por vos. Ella dice que mañana va a haber lindas noticias (Sandro dice que es medio bruja). Así lo deseamos todos los que te amamos.

Estuve ordenando las cartas, los mensajes que envió la gente con los deseos de verte recuperada pronto.

Ahora sí, llegó la hora de la "coquetería".

Las enfermeras me avisan, en cuanto te ven la piel
seca por el hielo, que te pase crema. Lo mismo que el
alicate para cortarte las uñas.

Subí a buscar la crema. Vamos a hidratarte piernas y brazos. Las manos te las cuidan ellas porque yo tengo terror de cortarte una cutícula, la piel, un dedo. Es demasiado preciso y no estoy para esa tarea. Pero la crema te la paso yo, y aprovecho y te pongo también agua bendita, lo hago como si te pusiera perfume, te lleno el cuerpo, las manos, la cabeza, los brazos.

Comí con Grace en la habitación. Bajó a verte, te dejó besos de todos los amigos queridos de Pinamar y se fue a casa a descansar.

Llamó desde España Ricardo Darín, te dejó millones de besotes y también Pepe Mazza ofreciendo cualquier cosa que necesitemos (están allá haciendo la obra *Art*). Bueno, amor mío, voy a bajar para darte el besote de las buenas noches.

Un nuevo día llegó. Estoy sentada en el *hall* de Terapia esperando que me hagan entrar para verte.

Recién llamó Nora Cárpena, que está trabajando en Villa Carlos Paz, y dijo que organizaron una misa en tu nombre. ¿Vos te das cuenta de lo que movilizaste, princesita? Por suerte los medios, todos, fueron muy respetuosos.

Te cuento que anoche ganó Boca, 2-0 con un gol de Chelo y otro de Ezequiel, y en la hinchada pusieron una bandera que decía: FUERZA, MALENA. Te juro que me pone la piel de pollo. ¡Qué movilización te mandaste! La gente está con vos. Todos están haciendo fuerza. Hoy hablé con Renée Sallas, de la revista *Gente*. Sus hijas rezan con sus compañeras por vos en el colegio Marín.

Estoy sentada en el pasillo de Terapia intensiva. Otra vez te sacan sangre y esperan al otorrinolaringólogo. Te cuento. Renée Sallas me dijo algo que me impactó: "En este momento todos los padres y madres son María Valenzuela" (quiere decir que todos están fuertes, haciendo fuerza por vos).

Llegó el doctor para hacerte la rinoscopia.

Acabo de hablar con Larry de Clay. Él fue quien te hizo poner la bandera de Boca. Un genio.

También llamó Carlos Belloso y Peto Menahem. Dicen que vas a salir y que están con vos.

A la mañana te perfumé los brazos, las manos y el pecho con agua bendita. Escuchamos música permanentemente. Pongo el compacto de la banda en la que toca Rama. Y tengo un DVD lleno de saludos que te mandaron los chicos de Mambrú. ¡Mambrú a tus pies! Solo falta que vengan Luis Miguel y Arjona para cantarte a dúo.

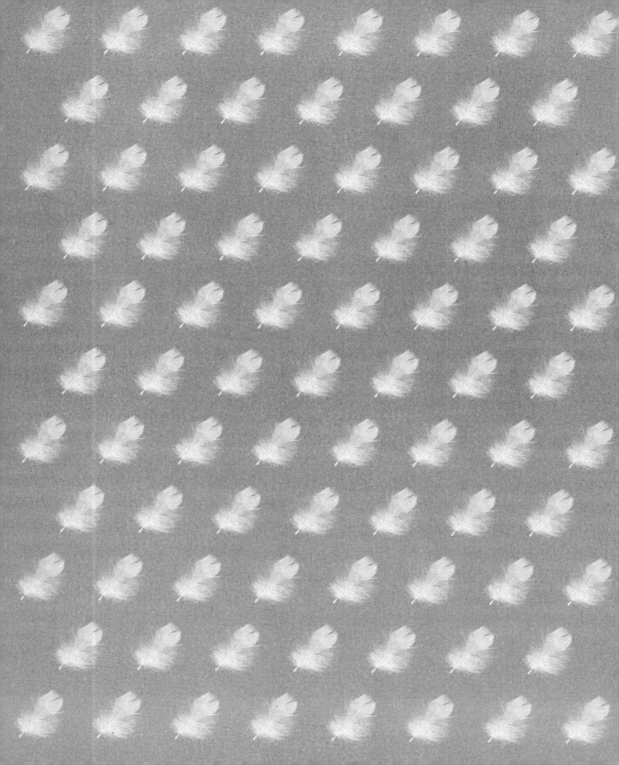

CAPÍTULO 4

❊ Un mundo nuevo ❊

Nos enfrentamos a un ambiente nuevo: el sanatorio.
Tenemos que comprenderlo para saber dónde nos tocó
estar en este momento. El discurso médico es extraño,
ajeno, pero no es imposible interpretarlo y hacer de ese
lugar tan lejano un espacio propio.

Es muy raro darse cuenta de cómo uno de pronto se ve metido en un universo completamente ajeno. Con leyes propias que no conocés.

El sanatorio es un mundo. Un mundo cerrado y aséptico, donde uno casi deja de ser la persona que se desenvuelve día a día con un trabajo, ocupaciones, prioridades, una agenda que cumplir, amigos para visitar, películas para mirar, objetivos a realizar en un corto, mediano o largo plazo.

Nada de eso. Acá adentro rigen nuevos códigos, terminologías y parámetros. Y aunque a uno le resulte imposible en un primer momento, a medida que van pasando las horas y los días se va apropiando de ese espacio que pasa a ser como la propia casa, y uno espera que sea lo más transitoria posible.

Nadie jamás elegiría vivir en un sanatorio, pero cuando te toca pasar el tiempo entre esas cuatro paredes no queda otra salida que hacerlo un poco tu lugar. Creo que también uno lo hace como un mecanismo de defensa, como una especie de proceso de familiarización de un ámbito que se sabe que no es el de uno, pero que si no se lo apropia un poco todo se vuelve cada vez más pesado. Así estamos, hija. Viviendo en el Dupuytrén. Vos como paciente, yo acompañándote, sin moverme un segundo de tu lado. Y desarrollando nuevas rutinas.

Estoy aprendiendo a leer qué es lo que pasa alrededor. El sanatorio, los médicos y los enfermeros tienen sus tareas, y son esas las que marcan las nuestras. El horario de los informes, de la ronda del equipo de guardapolvos blancos, el momento en el que te asean, chequean todos los aparatos a los que estás conectada. A medida que van pasando las horas fui comprendiendo qué aparato mide qué cosa, y cuáles son los parámetros normales de cada número que marcan. Agujas, pantallitas digitales, sonidos, en cada centímetro hay algo que me indica cómo estás.

Las noticias dicen:

La joven de 19 años quedó internada en el Instituto Dupuytrén luego de haber ingresado con un agudo dolor de cabeza. Una tomografía computada descubrió su causa: un aneurisma provocó un ataque cerebral llamado Hemorragia Subaracnoidea. Los aneurismas en el cerebro ocurren cuando hay un área debilitada en la pared de un vaso sanguíneo y pueden presentarse como un defecto congénito o desarrollarse en el transcurso de la vida. En el caso de la hija de María Valenzuela se trata de una anomalía de nacimiento. Debido a que los síntomas frecuentemente no se presentan hasta que se produce el sangrado, el aneurisma es una condición de emergencia cuando se lo descubre y la neurocirugía es el tratamiento principal. Malena fue operada de urgencia y, desde entonces, su madre no abandonó el establecimiento ni la vigilia, y su padre se convirtió en vocero de la familia.

Y detrás de la noticia estamos nosotros. Es increíble que en apenas unas líneas se condense un presente que encierra un millón de matices.

Uno de esos matices es el trato con los médicos. El doctor Henry, el peruano divino, es muy bueno en lo suyo y una persona muy cálida, optimista y con mucha energía. Me hace sentir bien cuando te controla, cuando me explica, aunque a veces los médicos utilizan palabras que nos parecen chinas.

Mientras escribo esto veo que tu presión subió a cuatro, pero estuvieron moviéndote un poco, te sacaron sangre para el laboratorio.

Somos *Campeones (de la vida)*, como la tira que hice en el 99. La que atravesamos ahora, también es una pelea que va de *round* en *round*. No sé en cuál estamos, pero vamos ganando. Ya cumpliste 48 horas desde la operación. Tu presión intracranena está estabilizada entre 11 y 13, lo que nos habla bien. Todavía no vi a Henry para que me diga si bajó la fiebre y a los enfermeros no quiero comprometerlos. Ellos no están autorizados a dar información, y es bueno respetar eso. Veo que anotan en sus planillas y trato de no interrumpirlos en su labor.

Ah, ¡me olvidé! Estuvieron de visita varios de tus compañeros de la facultad y también profesores de la secundaria. Estuvo el profe de gimnasia, Renato (que se conmocionó mucho). Todos te dejaron muchos besos. Es una cola inmensa de mensajes de amor; no terminaría más si te los enumero a todos.

Uno de los médicos dijo que ya no tenés fiebre. Y que la que tuviste fue producida por una pequeña neumonía. Fue líquido al pulmón cuando pasó el episodio, porque estabas inconsciente y lo tragaste, o algo así. Los enfermeros están a full con vos. No paran de controlarte. Tocan botones, inyectan medicaciones, anotan en la planilla… y yo estoy acá escribiéndote como terapia y para que sepas todo lo que va sucediendo.

Son las 18.20. Salí de tu habitación. Subió a 31 la intracraneana. Están los médicos con vos.

Me quedo sentada en el piso del pasillo de Terapia, frente a tu habitación. A lo lejos, en una radio, suena Phill Collins. Llevo el ritmo con el lápiz sobre mi pierna derecha. Cuando estoy a tu lado, los dedos de mis pies llevan el compás que genera tu pulmotor y tu electro, chin-pum, chin-pum, ya es casi un tic.

Pasan los minutos, ya conté 20. Son las 18.40. Sigo acá, en el pasillo, y adentro hay una reunión. Son como cuatro médicos. El tiempo se vuelve interminable. Cada minuto es una espera infinita.

Salió el doctor Cárdenas, el que te hizo la angiografía. Dice que sos joven y que la estás peleando. No nos aflojes.

Los minutos siguen pasando, demasiado lentamente para mi gusto. Ya son las 19.07. Me avisan que tu presión se estableció. Te bajaron ese 31 horrible. Seguimos.

Los médicos decidieron hacerte otra tomografía, que estaba prevista para mañana. Me quedé en la habitación con el Tano, Fernanda, Ro, Piri, Renata y Horacio a esperar el resultado. Acertadamente el Tano se llevó a todos y me dejó charlando con Horacio, que te manda millones de besos. De paso te cuento que tengo dos charlas de terapia por día, una a la mañana y otra a la noche. Si no estuvieran él y los "indios de tu tribu" ya hubiera enloquecido. Estamos muy contenidas.

Recuerdo que en ese momento me aferré mucho a mi terapeuta y a los chicos. Mi terapia era privadísima y, por entonces, era el momento de catarsis, donde podía desahogarme, llorar y decir las barbaridades más grandes. Porque mientras estaba con Malena sentía que debía estar con fuerza, bien parada, entera. Mi terapia y el baño eran los espacios de descarga.

Me encerraba en el baño para llorar, me sentaba, me quedaba un rato sola, sacaba toda la angustia afuera y después salía. Siempre estaba con los ojos hinchados, pero entera.

Estar entera es lo que me permitió realimentar las fuerzas y seguir empujando para adelante, acompañarte, enfrentar la situación, estar abierta para aprender, para interpretar todos los signos que nos rodeaban y tratar de encontrarle aspectos positivos a lo que estábamos viviendo, ubicar siempre una luz de esperaza de donde aferrarme para seguir dándole para adelante.

Bueno, llegó por fin el Dr. Henry con el resultado de la tomografía y nos alivió con el noticón de que no había sangrado nuevamente, que era lo que todos más temíamos.

Continúa tu tratamiento de sedación hasta que tu cerebro pierda la inflamación.

Hoy fue un día duro, pero pasamos al siguiente *round*.

Son las 22.30. Estoy esperando que me avisen para bajar a verte un rato. Comí pescado con puré de calabaza deliciosamente frío con una exquisita gaseosa tibia. En una o dos horas caeré rendida en el maravilloso sueño, pero feliz. Me encantaría soñar con el encuentro. ¡Te amoooo! Soñar con el momento en que mi Bella Durmiente despierta. Sí, eso me gustaría mucho.

23.25 HS

Ya te di un montón de besitos. A dormir se ha dicho. Miro tu hermoso rostro una vez más.

Hoy fue el día que más dormí. Acá estoy esperando que me dejen entrar a darte los buenos días, pero Daniel que es el jefe de enfermeros me dijo que están trabajando con vos. Te hicieron un agujerito más en la ingle para pasarte medicación.

Están haciéndote un electro de control. Tu presión intracraneana está entre 19 y 21. ¡Cómo cuesta tenerte estabilizada, joder!

Acá, con vos, es en el único lugar donde me siento bien. Estar conectada a vos me da paz y tranquilidad. Si salgo y vuelvo a entrar el impacto es muy grande. Es muy difícil. Cuando estoy al lado tuyo siento que tengo todo bajo control. Acompañándote estoy más tranquila. No quiero salir. Estás estabilizada y respondés bien a las drogas que te dan. Eso sí, parecés la hijita de Piggy, ¿te acordás de la cerdita de Los Muppets? Bueno, estás camino a parecerte a mí cuando salí de la cirugía estética. Te tendría que ver Fran Brisco, tu amigo. Te diría: "¡Hola, Piggita!". ¿Te acordás cuando Fran me vio después de la cirugía? Apenas salí estaba toda hinchada y me bautizó Piggy. Ahora te parecés a mí en ese momento.

Hoy está de turno una nueva doctora. Es colorada y salpicada de pecas, y muy cálida, creo que se llama Gaby.

La presión está entre 15 y 18. Te estamos esperando. Vos nos guiás. El ritmo lo marcás vos. Nadie puede acelerar nada. Estás tomándote tu tiempo y eso hay que respetarlo. La espera se sufre, pero si hay que poner la cara setenta veces para el cachetazo, la pongo.

Hoy, viéndolo con todas las percepciones a cuestas del tiempo transcurrido, puedo volver a sentir lo mismo que experimenté durante aquellos días. Tenía la sensación de que había que decirle: "No hay apuro Malena, salí bien de ésta y salí cuando vos lo decidas. Vos nos guiás". Era un proceso. Había que esperar. Era como parirla de nuevo: había que esperar a que saliera por el canal de la vida. Había que respetar esa gestación, su cuerpo iba a decir cuándo salir.

18.00 HS

Tenés un poco de temperatura (38 grados). Te inyectaron Ibuprofeno. Hay que bajarla rápido para que no moleste tu cerebro.

El cirujano te hizo una operación llamada craneotomía. Te sacaron la mitad del hueso de la cabeza para dejarle más espacio a tu cerebro, que está inflamado. Lo positivo de la tomografía de ayer es que tu cerebro volvió a su lugar, porque estaba desplazado. Que se haya reacomodado es muy importante.

19.07 HS

Ya cumplimos 75 horas desde la operación.

23.20 HS

Hay dos doctoras de guardia (la pecosa y una rubia), un doctor y tres enfermeros mirándote, controlándote. Tu presión intracraneana está entre 11 y 13. No tenés fiebre, pero yo te siento calentitos los brazos.

12.55 HS

VIERNES 14 DE FEBRERO

Hoy las noticias son más alentadoras. La curva de tu presión intracraneana está mejor y los valores de la presión arterial, más establizados. Esto me lo dijeron tus médicos en un parte, a través del doctor Henry. Están trabajando con vos, terapistas capos, con experiencias formidables.

Estás estable, hay que seguir dándote tiempo.

16.20 HS

Se cumplen cuatro días desde la operación y 48 hs de antibióticos. Ya pesqué cómo son los números que aparecen en los aparatos que tenés conectados. La presión intracraneana se estabilizó entre 8 y 9 (esto es bárbaro para tu estado).

Mamita, te tienen estabilizada. ¡Aguante, Malena!

17.40 HS

Los médicos están reunidos. El cirujano, el de cabecera y el de guardia. Las presiones están estabilizadas. Los doctores están con ganas de empezar a bajarte las drogas, o sea, de despertarte. Estoy ansiosa, temerosa, pero estoy con vos y con toda la fuerza.

18.05 HS

El Dr. Henry dijo: "Mañana hacemos el control y sino hay fiebre, empezamos a bajarle las drogas. El domingo puede ser…". Se lo comentó al enfermero, pero en voz alta para que yo pudiera escuchar. Es un fenómeno. No quiero contar esta noticia para no crear expectativas y quemarla. Y bueno, hijita, tengo las costumbres del medio tan metidas que no puedo dejar de mirar con mis ojos de actriz cada cosa que sucede. En nuestra profesión, cuando te ofrecen un trabajo y alguien te pregunta: "¿Es cierto que te ofrecieron…?", uno en el ambiente dice: "No quiero hablar, hasta que se concrete, porque no quiero quemarlo". Por cábala, nos atajamos. Hasta que no está firmado el contrato o hasta que no se concreta la buena noticia, evitamos decirlo para no quemar eso tan esperado. Entonces, preferí callar que te iban a bajar las drogas para despertarte. Solo lo voy a hablar con Horacio, con alguien tengo que compartir esta noticia o reviento. ¡Qué momentos, Malena!

20.00 HS

¡Qué lío se armó con un aparato que no para de sonar! Creo que indica algo relacionado con tu oxígeno y tu frecuencia cardíaca. No pude preguntar nada. En el dedo índice de tu mano derecha tenés un sensor. Es un cable con una luz roja ubicada en la yema del dedo (parecés ET, sólo te falta decir: *"Phone home"*). Yo estoy en el pasillo y los médicos con los tres enfermeros están adentro.

20.18 HS

Salió todo el equipo de expertos. Me dijeron que no me asuste, que esto es terapia "artesanal", van probando cosas para ir bajando la medicación. Pero yo quiero saber: ¿qué fue lo que pasó?

20.25 HS

Dani, el jefe de enfermeros me dijo que fue el aparato, que tu mano no puede estar levantada porque el sensor no registra. ¡Qué susto! Ahora tu presión arterial está en 62 (muy bien) y la presión intracraneana, entre 12 y 15 (un poco alta para mi gusto).

Puede resultar loca, obsesiva en extremo mi actitud. Parezco una más de los enfermeros: miro la planilla y anoto todo, hago mi propio control, antes de irme a dormir dejo registrado cada detalle transcurrido durante el día. Necesito dejarlo asentado.

Para mí es importante hacer mi propio seguimiento. En esos momentos, se te crea la duda de si te estarán diciendo lo que realmente ocurre o no. Todo el tiempo te surge la pregunta: ¿hasta qué punto me dicen la verdad o me están ocultando algo?

Como buena geminiana, necesito tener el control, monitorear más allá de lo que me digan. Lo que me comentan lo tengo claro, porque empecé a preguntar todo. ¿En qué nivel tiene que estar la presión intacraneana? ¿Y la arterial? Averigüé cada cosa, hasta que las aprendí. Ahora siento que estoy en tema, entiendo los valores y eso me permite llevar adelante mi propio control sobre lo que te pasa, Malena.

Estoy sentada en mi rincón como una pantera celosa y al acecho que vigila el territorio. Tengo los anteojos en la mitad de la nariz, bajo los ojos para escribir y los levanto para monitorear. Te pusieron una frazada en el cuerpo para darte calor. Tenías las manos heladas. Esta noche te cuidan Sebastián y Eva. Ella es la enfermera más capa, la más experimentada, la más contenedora.

Y sí, uno no está preparado para esto. Como tantas otras

cosas en la vida, hasta que no las vivís, no sabés qué se siente ni cómo respondés. El ambiente sanitario es raro. Yo no estaba familiarizada con ese clima. Al principio no entendía qué estaba pasando. Por ahí con mi madre había hecho una primera aproximación al ambiente de médicos y drogas. Ella estaba enferma y había tenido que pasar por varias internaciones. Pero esto es otra cosa. Vivir esta situación con mi hija y a sus diecinueve años no me lo esperaba. Creo que mis dos charlas diarias de terapia resultan muy fructíferas para ir asimilando todo lo que ocurre. Mis días se reducen a acompañar a Malena y tratar de elaborar todo lo que va sucediendo. Me levanto muy temprano, desayuno y bajo a Terapia. A veces tengo que esperar para entrar porque están higienizándola o está la ronda de médicos. Recién después me hacen pasar. La veo a Malena, le hablo, la acaricio, la controlo a cada hora, cada minuto. Espero los partes médicos para ver si hay alguna novedad.

Por suerte, voy comprendiendo cada día más. Y vamos avanzando, hijita. Hay cambios positivos y eso me llena de energía y esperanza.

CAPÍTULO 5

❖ Terapia, escritura y contención ❖

Es hora de abandonar los "porqués". Casi sin pensarlo, pido un cuaderno y una lapicera, y empiezo a dar forma a este diario. Necesito dejar por escrito todo lo que está pasando. Es mi "otra" terapia. Una forma de catarsis, de canalizar la angustia. Es también un tesoro que espero poder compartir una vez que estés recuperada.

Siempre digo que durante los días en los que te pasó todo esto estuve como guiada. A pesar de lo difícil que era atravesar esta situación límite, me sentí muy lúcida, siempre atenta. De arranque, empecé con los "porqués" y después me di cuenta de que con esa actitud no iba a llegar a ningún lado, al menos a ningún lado fructífero, saludable, a ningún lado que pudiera permitirme comprender más lo que estábamos viviendo. Hay preguntas que simplemente no tienen una respuesta racional. O sí, pero a veces la respuesta está tan agarrada de finos hilos a una lógica racional, y como no estamos dispuestos a conformarnos con la lógica del azar, nos empecinamos en seguir preguntándonos por qué una y otra vez. Durante esos días mis cuestionamientos lo abarcaban casi todo. *¿Por qué a Malena? ¿Por qué no me pasó a mí y no a ella? ¿Por qué si acabamos de salir de una situación difícil nos tiene que ocurrir esto? ¿Por qué le tuvo que tocar a ella, que es tan joven, tan radiante, tan saludable, tan llena de energía?*

Llegó un momento en el que seguir haciéndome preguntas era como continuar dando vueltas una y otra vez sobre la misma baldosa. Entonces empecé a accionar. Para comenzar, no sé por qué, le pedí a Fernanda —la mejor amiga de Malena— un cuaderno y una lapicera. Creo que comencé a escribir a partir del momento en el que sale Malena de la operación.

No lo recuerdo con exactitud, en esas circunstancias todo pasaba demasiado rápido. Pero siento que fue automática la sensación de querer escribir lo que estaba pasando.

En cuestión de horas pedí unas hojas y una lapicera y arranqué. A medida que iba escribiendo cada hecho, cada impresión, cada elemento nuevo que aparecía, el cuaderno iba creciendo, y para mí iba teniendo cada vez más valor e importancia y no quería que nadie lo abriera. Entonces lo guardaba abajo del colchón de la cama donde yo dormía.

Nos encontrábamos como en una burbuja. Malena estaba en el piso de abajo en terapia intensiva y justo arriba estaba mi habitación. En la clínica Dupuytrén me habían dado una habitación para que durmiera ahí. Entonces, siempre tenía a mano el teléfono, por cualquier cosa que ocurriera, o en el caso de que me despertara con un presentimiento, bajaba la escalera y entraba a verla.

Los días eran largos, intensos y cargadísimos. Tal vez porque todo era tan fuerte, pasaban volando. Me acostaba después de tener una charla con mi terapeuta, lo despedía en el ascensor, tomaba la pastillita para dormir, le daba un beso a Malena y subía con mi cuaderno, lo ponía debajo del colchón y me disponía a intentar descansar. Al día siguiente me despertaba y lo primero que hacía era agarrar el cuaderno y bajar a verla a Malena. Iba a todos lados con el cuaderno y la lapicera.

En el momento ni pensaba por qué tenía tanta necesidad de escribir. Pero sentía que atesoraba un espacio donde descargar la angustia, y a la vez sentía que estaba accionando, que no estaba sentada de brazos cruzados en una salita delante de Terapia intensiva hablando porque sí: yo estaba haciendo. Estaba haciendo algo. Sabía que era para que cuando Malena se despertara lo pudiera leer. Tenía la necesidad de contarle todo, de transmitirle hasta con los detalles más mínimos, hasta con díalogos y aromas, todo lo que estaba pasando. Era muy raro, porque ella estaba allí, pero inconsciente. No podía percibir cuál era la realidad que estaba atravesando. Entonces, el cuaderno tenía una misión importantísima para cumplir. Era el registro de ese momento de vida. Es extraño, pero es como si de pronto a uno le acercaran el guión de su vida. Solo que no se trata de un libreto con indicaciones que le dan a un actor para que refleje ante las cámaras situaciones y vivencias de otro, un personaje. No, acá lo que transmitía ese guión era la vida misma de mi hija. Y ella era la protagonista. Aunque desde las sombras. Bueno, cuando volviera a aparecer la luz, ella iba a tener la posibilidad de enterarse de lo que había vivido.

El diario era para Malena pero también para mí, para pasar

ese momento. Era lo que a mí me hacía bien, descargar ahí. Yo estaba muy cargada, y a medida que avanzaba en el registro de lo que íbamos viviendo con el transcurrir de los minutos me daba cuenta de que la escritura me ayudaba a ver. Sentía que mientras trasladaba todas las emociones al papel iba encontrando mi eje. Como una especie de momento de autoanálisis, además de las dos charlas por día con mi analista. Este era un espacio muy íntimo, muy mío, muy nuestro. Era lo que yo podía hacer para que cuando Malena volviera a estar consciente tuviera la posibilidad no solo enterarse de todo lo que había ocurrido, sino también comprenderlo desde las diferentes caras que esa realidad tenía. Cómo se fue armando una red de contención, cómo estábamos todos pendientes de su estado, y cómo ella la peleaba día a día.

Además, la memoria es frágil. Así que cuando quisiéramos contarle alguna anécdota o detalle no nos íbamos a acordar de todo. Hay cosas que las borrás, si no la cabeza estalla. Es como cuando estudio los libretos: si no voy eliminando automáticamente lo que grabé, siento que mi cabeza puede estallar con tanta información. Es como un ejercicio: sabía que había que plasmar todo eso que ocurría para después poder reconstruir la historia y no perder detalle. Cada cosa que pasaba tenía que estar ahí. Era algo que me conectaba y compartía con Malena.

Hay que reconocer que la palabra tiene un poder mágico. Algunos mencionan el poder sanador de la palabra y lo importante que es escribir como terapia. Yo en ese momento no pensaba tanto, pero viéndolo desde el presente me convenzo cada vez más de que eso sucede. Al volcar los sentimientos al papel uno por un lado saca todo lo que tiene adentro y por otro le da forma a una narración que en el papel toma vida propia. Al crear ese nuevo orden, se puede ver desde otra perspectiva, ya no se trata simplemente de la huella que la vivencia dejó en nuestras emociones, ahora uno lee eso que escribió, puede analizarlo de otra manera, puede comenzar a ver cosas nuevas, comprender la motivación de algunas actitudes, visualizar con una mirada más abarcadora el fenómeno que estamos describiendo a través de las palabras. Casi como cuando uno se sienta a charlar con un amigo y puede mirar con mayor claridad aquello que el otro cuenta, y se encuentra en una posición desde la que puede dar consejos mucho más claros y concisos acerca de las mejores formas de transitar esa experiencia. Si fuéramos nosotros mismos los que estuviéramos en el lugar de nuestro amigo, muy probablemente no poseeríamos esa claridad mental que nos da la perspectiva de la distancia emocional. Bueno, con la escritura pasa un poco esto. Y nos ocurre a muchas personas. Hasta el genial Woody Allen reconoce que la escritura de los guiones para sus películas forma parte de sus terapias para superar depresiones, ansiedades y neurosis. Muchos autores relacionan este poder transformador de la escritura con su práctica cotidiana que, además, les permite vivir de eso.

Ese doble juego de escribir para otro (en este caso, para Malena) y a la vez para uno mismo (para que yo pudiera elaborar mejor el momento difícil que estábamos viviendo) le da a la escritura un plus incalculable. Creamos un canal de comunicación con los demás y con uno mismo, y a la vez aprendemos con cada minuto que pasa.

Era un trabajo, una tarea que estaba haciendo para Malena y era un regalo que le preparaba para cuando se despertara. Aunque tuve muchos bajones anímicos y he pensado en más de una oportunidad: "¿Y si no se despierta?", "¿y si se despierta, cómo quedará?" Eso se lo planteaba mucho a Horacio, mi terapeuta. Una vez, en el ascensor, antes de que se fuera le dije: "Está bien, tal vez se salva pero ¿y cómo queda?". Horacio me respondió: "Vamos a ir paso a paso".

Y así fuimos avanzando, segundo a segundo, minuto a minuto, hora tras hora, día tras día. Mientras, registraba todo. Lo que pasaba en el momento, lo escribía. Lo simple de lo que ocurría, lo mínimo de cada instante. Buscaba observar eso. Aunque en realidad, todo lo que estábamos viviendo, de simple no tenía nada: era complejísimo. Por eso mismo, si te ponías a pensar en todas las capas contenidas en ese momento, era imposible abarcarlas, comprenderlas todas a la vez. Cada pequeño instante involucraba un montón de *subtramas*, y cada una, a su tiempo, iba armando una pequeña historia. Entonces, si uno se concentra con toda su atención en una a la vez, puede ir asimilando, después de un tiempo y con la suma de todas esas vivencias, el estado general de la situación. Pero mientras tanto, cuando estás en el medio de la pelea, tenés que plantearte objetivos a corto, ¡qué digo corto!, a cortísimo plazo. Si no te ves completamente superada por lo que ocurre. Y aunque quisieras, si hay algo que no podés hacer, es darte por vencida.

Durante mis charlas de terapia voy descubriendo cada uno de los temas ante los que esta situación límite me coloca. Me aferro mucho a los dos pilares que me contienen, la terapia y los amigos. Los tuyos y los míos.

No sé qué haría sin esas dos presencias tan fuertes que me permiten ir sosteniéndome para poder estar con todos mis sentidos concentrados en vos. Sé que soy fuerte, pero a veces caigo y lloro, lloro mucho. Pero una vez que pensé qué es lo que me está pasando, que logro comprender un poco más todo lo que estamos viviendo, que las lágrimas caen una tras otra, imparables, después de ese momento, puedo volver a respirar hondo y a dar de nuevo la cara a esta realidad. Y a seguir luchando. Por suerte estamos juntas, y además, no estamos solas.

Entonces, con esta combinación poderosa de emplear el diario como terapia y así encontrar un modo de encauzar esa necesidad de hacer catarsis en el momento en que todo ocurría, mientras Malena permanecía en el coma farmacológico, la presencia constante de la contención de amigos y la terapia diaria con el psicoanalista, el trabajo cotidiano para mantenerme fuerte, esa tarea de constante elaboración para no desmoronarme cuando Malena estaba internada daba sus frutos.

Creo que si no hubiera tenido esas dos charlas de terapia por día y toda la compañía de los chicos de tu tribu y de mis amigos, hubiera enloquecido. Así, me puedo dar el lujo de hablar todos los temas difíciles con Horacio, desahogarme, pensar, darle una y mil vueltas a la situación, y después volver a pararme con fuerza, superplantada ante la vida, y encarar cada minuto que pasa y que encierra un nuevo desafío.

La energía de la que dispongo es inmensa. Creo que la presencia de tanta gente amiga la realimenta. Se respira un clima de amor incondicional que es muy difícil de poder plasmar a través de palabras sencillas. Hay que vivirlo. Todos estamos dolidos, pero tenemos fe y esperanza, vamos a alentarnos mutuamente y a alentarte a vos para que finalmente logres salir de esta encrucijada.

Hablando de terapia, hoy llega Carolina Heilpern, quien suspendió sus vacaciones cuando se enteró del duro trance. La va a buscar Horacio y vienen a verte. Y sí, todo queda en familia, la terapeuta de Malena, es hija de mi terapeuta. Se agranda el equipo y ahora sí, no nos para nadie.

CAPÍTULO 6

❊ Compañía incondicional ❊

La necesidad constante de permanecer a tu lado me
brinda la capacidad de registrar hasta los más mínimos
cambios. Me permiten visitarte a horas prohibidas porque
comprobaron que mi compañía y la música hacen variar
los signos en las pantallas. La espera se hace interminable,
pero en el camino se aprenden muchas cosas acerca de
uno mismo. La música y mi cercanía a toda hora resultan
elementos clave en tu recuperación.

Parece que nos mimetizamos, porque vos pasaste una buena noche sin hacer ningún pico ni de fiebre ni de presión y yo dormí profundo y mucho.

Estoy viendo unos números gloriosos: presión arterial 87 (bárbaro), presión intracraneana entre 6 y 8 (maravilloso). Así que ahora pareciera que se empiezan a acortar los tiempos: salir del coma farmacológico y empezar a despertar.

Vos sabés que yo siempre tengo un coagulito en mi cerebro que hace que confunda algunas palabras. Todo el tiempo voy por la vida modificando las palabras por otras, y esas confusiones resultan muy graciosas. Por eso, siempre me comparo con Minguito, el entrañable personaje de Juan Carlos Altavista. Te cuento algunas de las que me salen acá adentro, en la clínica: presión intracraneana = presión ucraniana. A mí me sonaba así, fonéticamente, al principio, porque no sabía de qué me hablaban, no sabía qué quería decir, ahora lo sé pero como ya se me pegó y me causa gracia, sigo usándola. Estudio EcoDoppler = estudio Ecotopless. Instituto Fleni = instituto Fleming (la calle en San Isidro donde están los estudios Teleinde en los que grabamos). Después te cuento otras.

Dicen que tenés hipo. Te van a cambiar algunas de las mangueritas por el tema de la infección. Porque tenés los tubos por boca, para evitar la traqueotomía. Escucho al doctor de guardia: dice que te van a empezar a bajar la medicación que te tiene dopada. La licenciada Gabriela Guarini, la kinesióloga, te hizo vibraciones en el pecho y en las manos por la pequeña infección del pulmón.

Ahora la doctora Gabriela te da palmadas en el lateral del pulmón derecho. Suena como un bombo y zamba o a ritual indio. Será para ayudarte a despegar las flemitas del pulmón.

16.35 HS

Vinieron Miriam, la salteña, Julio e Ivana de la facu. La salteña después de rendir los exámenes va a pasarte los apuntes así terminás con el CBC para Ciencias Políticas.

Ya cumplimos cinco días desde la operación.

Me dijo el doctor Hugo De Simone (el subdirector del Dupuytren) que en un momento moviste levemente tus piernas. Una reacción. ¡Qué bueno! Igual no se lo dije a nadie. Me lo había contado a mí, así que guardé el secreto. De Simone me da mucho ánimo, es muy contenedor, viene a verte seguido, habla conmigo bastante, me dice que te hable, que no deje de hablarte. Yo te hablo cuando están las enfermeras, pero cuando entran los médicos paro. Entonces un día me agarró y me dijo: "Está bien lo que estás haciendo, seguí hablándole".

El doctor Henry te empezó a bajar la adrenalina, que es una droga que sube la presión arterial. Él dice que empezó con su meta. Está tan ansioso como nosotros. Trabaja con enorme tenacidad para sacarte adelante.

19.30 HS

Las dos presiones están óptimas. Mañana domingo, a partir de las 9 comienzan a sacarte las drogas poco a poco y a las 11 aprietan el acelerador para ver tu resultado neurológico. Tenés que portarte bien y no excitarte, porque si no, vuelven a doparte. Cuidan tu cerebro, tratan de que esté protegido.

Ando un poco ansiosa. Rodrigo me organiza la cena. Me va a armar una ensalada que nos guste a los dos: sí, porque él me come la comida (me hace un favor). La otra noche le hice un sándwich de milanesa y picoteó unas papas fritas que parecía que las había pisado un camión. Ro no le hace asco a nada.

Me quiero dormir temprano para poder verte mañana antes de que empiece el operativo "Levántate y sonríe". Esa frase del *Zoo de cristal*, la obra de Tennesse Williams es genial. (Hasta el día de hoy me acompaña en cada momento, la tengo como mensaje de bienvenida en el celular). Y es una frase que guardo conmigo desde hace muchísimos años. En realidad, ya ni me acuerdo en qué contexto estaba la frase, vi la obra de muy joven, y esa línea me marcó. El mensaje que transmite llega profundo: más allá de la adversidad, de los malos momentos, levántate y además sonríe. Va mucho más allá que el clásico "levántate y anda". Implica, también, arrancar con optimismo, de buen humor.

Ah, me acordé de otros términos que confundía y decía mal: coma farmacológico = coma farmacéutico; radio rayo (Gamma Knife, la técnica de operación) = radio taxi.

19.40 HS

El doctor Sebastián (el pelado) dice que te bajaron la adrenalina más del cincuenta por ciento, que era muchísima, y tu presión arterial no disminuye. Al disminuirte la droga, la presión tenía que establecerse y mantenerse pareja. Le pidió al enfermero que te la baje un poco más. Están probando a ver cómo responde tu presión arterial.

19.57 HS

Presión arterial: 68. Presión intracraneana: 19. Ya te bajaron. Veamos qué pasa.

20.19 HS

Vino el médico, tocó botones y ahora la presión intracraneana bajó a 9. Igual pidió que te tomen la temperatura.

No tenés fiebre. ¡Viento!

Seguimos dando pelea. Permanecer a tu lado todo el tiempo y alimentar esta proximidad en cada segundo hace que los minutos, que parecen horas, estén cargados de significado, de amor, de aliento, de energía. Siento que te voy dando fuerzas cada vez que te paso las cremas, cuando te voy poniendo el agua bendita, cuando cambio los discos. Evidentemente, la música para vos es un buen estímulo. El doctor Henry ordenó que tengas música todo el tiempo. Y así estamos, yo ya parezco un disc jockey. Todo el tiempo tenés música, y te ves tan graciosa con tus auriculares puestos.

El poder de la música es indiscutible. Esto lo comprobamos en nuestra vida cotidiana.

Con el fluir del ritmo y la melodía, la música tiene la poderosísima capacidad de alejar nuestras tristezas, hacernos recordar momentos felices, besos lejanos en el tiempo y en el espacio, alegrías compartidas con amigos o familiares.

Y, como lo estudian a través de los años cada vez más médicos en el mundo, la música ayuda a mucha gente que ha atravesado experiencias de enfermedades cerebrales a reencontrar un camino hacia la conciencia, recuperar el lenguaje y la expresión. Desde que somos seres pequeños y estamos en la panza de nuestra madre, la música tiene una capacidad única de provocar reacciones en nuestro estado de ánimo.

Dicen los que saben que según las formas de sus ondas y otras características, los sonidos pueden tener un efecto cargador y aliviador. En algunos casos, cargan positivamente el cerebro y el cuerpo. A veces una música fuerte, vibrante, puede darnos energía y enmascarar o aliviar el dolor y la tensión. A la mayoría nos gusta escuchar música, aunque no nos demos cuenta del efecto que produce en nosotros. La música produce efectos mentales y físicos: encubre los sonidos y sensaciones desagradables, hace más lentas y uniformes las ondas cerebrales, influye en la respiración, en el ritmo cardíaco y en la presión arterial, reduce la tensión muscular y mejora el movimiento y la coordinación del cuerpo, influye en la temperatura, aumenta los niveles de endorfinas, regula las hormonas del estrés, estimula la actividad inmunitaria, cambia nuestra percepción del espacio y del tiempo.

El doctor Oliver Sacks, en su libro "Despertares", en el cual se basó la maravillosa película protagonizada por Robert De Niro y Robin Williams, afirma que "El poder integrador y sanador de la música es fundamental. Es el medicamento no químico más profundo".

Luego de la experiencia que tuvimos, pude enterarme de que la música fue especialmente útil en la rehabilitación de pacientes de accidentes cerebrovasculares en todo el mundo. Profesionales de diferentes institutos médicos intercambian estudios que evidencian el poder sanador de la música y lo ejemplifican con las historias clínicas y la descripción de los casos de sus pacientes.

Si hay algo que no te falta en ningún momento, es la música. Estás en coma, ahora estamos viendo si salís del coma, pero todo a tu alrededor evidencia la garra que le estamos poniendo para traerte otra vez de este lado.

Acá con vos es en el único lugar donde me siento bien, y entonces toda mi fuerza está focalizada en ir haciendo cosas, desde las más grandes hasta las más pequeñas, para ayudarte. Y se ve que nuestros cuerpos van registrando eso. Las dos tenemos sequedad en las manos, y recurrimos a las cremas para contrarrestar este síntoma. Y lo más llamativo, es que el medicamento que te dan para mantenerte en coma farmacológico es familiar del "dormicum", que es el que tomo yo. Una pastilla por las noches para descansar, me hace dormir profundamente y me despierto sin malestar. Mi terapeuta me da una por día. Acostada, según indicación médica, me tomo cada noche la pastilla. Nunca dos.

Es muy gracioso porque además del detalle de la sequedad de la piel y de la pastillita para dormir, cuando una tiene problemas estomacales, la otra también los tiene. ¿Será tan loco?

Otra mimetización fue un dolor de garganta. Vos por la entubación tuviste problemas en las cuerdas vocales y yo estaba con dolor de garganta.

Bueno, chiquita, en esta espera gasté las baldosas del *hall* de Terapia.

Sentía que estábamos tan conectadas que de alguna manera había un proceso de mimetización entre ambas, y lo que a ella le pasaba, de alguna manera me pasaba a mí. Pero también veía que todo era muy increíble, muy extraño. Me llamaba la atención que mientras a Malena le pasaba una cosa a mí me ocurría algo similar.

Antes del episodio, Malena era una chica con una personalidad muy fuerte, muy para adelante, muy rebelde. Era un huracán. Entonces no había simbiosis antes de todo esto. Sí existía el amor, el apoyo y la contención. Al producirse el episodio es cuando surge la mimetización. Ahí sí podemos hablar de simbiosis. Antes era una cosa normal, de madre e hija, con diferencias, discusiones y con puntos de vista distintos. Sí, cuando una estaba mal la otra la contenía ante la angustia y el dolor. Pero no había simbiosis, teníamos los roles muy bien definidos.

Hoy la relación no volvió a lo de antes, tampoco es como era durante la internación. Creo que hoy somos más compañeras. Obviamente que nos seguimos apoyando y acompañando y estamos presentes permanentemente. Hay como una dependencia y no dependencia. De hecho, a mí se me ocurrió preguntarle a Malena si no quería vivir sola, una vez que se curó, porque sentía que de esa manera íbamos a poder crear un vínculo más independiente. Que ella tuviera sus responsabilidades, no estar yo tan encima de ella, empezar a manejarse y a vivir su vida. Y empezar a dedicarme yo también a la mía. Malena es del 83. Tenía 19 cuando tuvo el episodio. Cumplió los 20 internada, haciendo rehabilitación, en Fleni.

Me acostumbré a pasar los días ahí. Era el lugar del momento. El Dupuytrén era "nuestro hogar". Nuestro lugar de salvación. Me fui apropiando y me fui haciendo amiga de ese espacio. Y eso que el hospital tiene unos olores muy especiales. Me adapté absolutamente al día a día. Vivía ahí adentro, sentía que no había nada que tuviera que hacer afuera del sanatorio.

Además yo estaba a la expectativa de que moviera una mano, un dedo o algo. Verla toda conectada, con un casco blanco en la cabeza, toda pelada… Le abrieron la cabeza, le sacaron medio hueso para que el cerebro pudiera acomodarse. De hecho, el cerebro se había desplazado primero y luego volvió a su lugar. Era todo muy bravo.

Ahora estás muy tranquila. Seguís durmiendo y están sonando los Beatles. Hasta los enfermeros se copan con la música. *Yesterday* se mezcla con el "pipipi" del electro. No sabés lo graciosa que se te ve. La ternurita que sos con los auriculares de Fran puestos, el *discman* sonando a tu lado compartido con el tubo respirador y las sondas que salen de tu nariz. Estás para la foto. Ah, escuchás el último compact de Ricardo Arjona. Con el *discman* el efecto es más intenso y profundo que cuando escuchás con el equipo, en todo el ambiente.

Me conectaba con Malena a través de la música y también hablándole, acariciándola, poniéndole crema por todo el cuerpo. Era una manera de hacerle un mimo y evitar que su piel se secara.

Y también cortándole las uñas, contándole cosas que pasaban arriba, al oído. Le contaba cosas lindas. Le decía mucho: "Mi amor, va a estar todo bien, ya falta poco, vino Fernanda, está Rodrigo, hoy jugamos al truco y yo gané". Trataba de mantenerla al tanto de todo. Y después el contacto: darle besos, tocarla. Y esto de controlar los numeritos, parecía interminable pero pasaba volando el día. Por eso yo en el diario insisto tanto con las horas. A 48 ó 72 horas de la operación y así...

Aunque también estaba el tema de la espera para ver que se despertara. Sobre todo, cuando me dicen que van a bajarle las drogas, que iban a empezar a reanimarla. Ahí me agarró la ansiedad porque yo había pensado que le sacaban las drogas y se despertaba mañana; pero no. Las drogas se las iban sacando de a poco. Y cada vez la miraba más y le miraba los músculos para ver cómo estaba, buscaba que me diera alguna señal de que se estaba despertando. Hasta que un día el Dr. Henry me dijo: "Mirá que falta, no es que se va a despertar mañana". Pero tenía tal grado de ansiedad que hubo una noche que no me fui a mi cuarto y me tiré en el piso arriba de una frazada, porque no quería que abriera los ojos y no me viese al lado de ella. Estaba en el piso y cada tanto la miraba y seguía durmiendo, sentía que tenía que estar ahí. Pero al día siguiente me dolía todo.

El inconsciente trabaja todo el tiempo mientras la persona está en coma farmacológico. Por eso era muy importante la música, y hablarle, y en ese sentido es para remarcar el gran apoyo que tuve de los médicos, que me dejaban estar con ella. Por otra parte, siempre fui muy respetuosa, nunca los invadí, ni los molesté, ni me metí en el medio; trataba de pasar inadvertida como si no estuviera ahí.

Este punto me parece esencial en el camino a tu recuperación: la posibilidad de poder estar todo el tiempo a tu lado. La importancia de la cercanía de un familiar durante la terapia intensiva es increíble, y está subestimada por el sistema médico. No entiendo cómo no se le da importancia desde las instituciones. Yo no lo había pensado demasiado en ese momento, porque con el ritmo cotidiano la verdad es que a veces no tenía mucho tiempo para reflexionar, pero después de tomar un café con Rita Cortese —una charla con ella condensa mil años de sabiduría— y entre tantas cosas valiosas que me dijo, resaltó un aspecto en particular. Ella dice que yo establecí algo nuevo en usos y costumbres, con esto de que el familiar esté mucho más tiempo con el paciente. Siente que el hecho de que yo haya estado trabajando para mi hija y cerca de ella la ayudó. En Terapia intensiva te dejan entrar con cuentagotas y te echan, y yo estaba permanentemente, a mí no me sacaban. Creo que, en este punto, es muy positivo advertir sobre lo importante que es para un paciente inconsciente, en coma, tener la presencia de un familiar cercano; no hace falta que estén todos, pero que haya una persona indicada para hacer su tarea en la terapia, no de estar una hora como dicen los médicos, si no más tiempo. Los estímulos son muy importantes. Uno no sabe hasta qué punto es vital el sentirse contenido y acompañado. El hablarle, ponerle la crema, estar al tanto de que tenga siempre la música, hacerle un mimo, contarle lo que pasa afuera. En una terapia intensiva, el paciente necesita algo más que la atención de los médicos. Necesita también sentirse querido, acompañado, apoyado, estimulado. No digo que sea indispensable una caravana de gente que deambule. Pero que uno tenga un permiso para estar permanentemente, que abra un canal de comunicación y que se pueda meter en el inconsciente de su familiar me parece que es un punto clave en el camino de la humanización de la medicina.

Cada hora pasa como si fuera un día entero. La espera, la vigilia, la ansiedad... Se hace cruel, reviento y contengo, lloro y río, puteo y no dejo de agradecer lo bueno ante la desgracia.

Tus amigos, los míos, los compañeros y la gente común me dan la fuerza que intento transmitirte. Te hablo, te beso, te acaricio, te miro, te controlo y te cuido celosamente como una Doberman a su cachorra.

Hoy no tengo muchas ganas de irme a dormir. Creo que por eso escribo y filosofo tanto. Te confieso que estoy un poco asustada. Este día se me está haciendo duro. Es como sujetar las riendas de un caballo que se va a desbocar, pero que hay que sostenerlo y hacer fuerza con los aductores para no caerte.

A veces se torna una carga muy pesada. Es demasiado. Controlarme, estar entera para Malena, dominar la situación, contener a sus amigos. Porque tampoco podía desmoronarme; ver lo de la presión que se iba a las nubes y transmitir esa dura noticia. Entonces yo me lo comía, decía "estable". Con el único que me sinceraba era con mi terapeuta, con Horacio. Pero estaban todos los fantasmas y yo ahí, controlando la situación para que se me viera entera, pero tenía un proceso por dentro que era bravo. De todas maneras, tenía posibilidad de ver que había que sacar lo bueno ante la desgracia y eso me permitía no dejarme caer. Lo que quería transmitirle a Malena era que iba a salir de esa pelea, y por eso me quería mantener fuerte. Yo creo que en algún lugar ella pudo percibir la intención. Por eso no lloraba ni nada, era una energía inconmensurable. Era un disc jockey ahí adentro, cambiaba los discos, pasaba de los Beatles a Pavarotti, y ponía otro disco y nunca para abajo, siempre para arriba. Toda mi descarga era con Horacio. Creo que me habré quebrado en la escalera dos o tres veces con alguien. Pero era para después seguir entera, para no enfermarme ni enloquecer.

CAPÍTULO 7

❈ Situación límite ❈

Hasta que no lo vivimos no sabemos cómo vamos a
reaccionar. En el momento en que sentimos que estamos
llegando al borde, a lo máximo, cuando nos vemos inmersos
en un escenario extremo en el que jamás nos imaginamos,
nuestra mente puede dispararse para cualquier lado.

Es extraño conocer nuevos aspectos de uno que saltan a la luz en esta encrucijada. Podría volverme loca, paralizarme y no hacer otra cosa más que llorar por lo inesperado de todo esto, por el riesgo que corre tu vida, por la incertidumbre que me produce desconocer tu verdadero estado, no poder hablar con vos, mirar directamente a los ojos y que me digas cómo te sentís. Es tan raro verte inconsciente. Pero en lugar de todo eso, lo que me ocurre es lo opuesto. Estoy más despierta que nunca. Estoy con una lucidez que jamás tuve en mi vida.

Todos los sentidos se agudizan: el oído, la vista, el tacto, el olfato, están hipersensibles.

Bueno, el gusto no tanto. Es que se me cierra el estómago y no como mucho. Pero con el resto, es como un punto de extrema lucidez. Los reflejos responden como si fuera una máquina. Nunca me sentí en un estado de tanta conciencia. Siento que el oído se aguzó, los reflejos están a full, no se me pierde nada de lo que pasa y estoy absolutamente en todo. La memoria es permanente. Soy fuerte, estoy fuerte porque vos me das esa fuerza.

Me acuerdo de algunas situaciones puntales. Por ejemplo, estaba en mi habitación —en donde se fumaba y me servían la comida— escuchando conversaciones de varios que hablaban a la vez y había alguien fumando y yo de pronto le ponía el cenicero justo en el instante en el que se le iba a caer la ceniza. Estaba muy alerta, muy atenta, tenía una tarea, era esa, estar atenta a lo que pasara y resolver en el acto.

00.04 HS  DOMINGO 16 DE FEBRERO

Comienza un nuevo día, un día de mucha esperanza, de fuerza y paciencia para todos. Todavía estamos "transitando el empedrado y firmes en busca de ese camino de asfalto", como dice el queridísimo Tano.

Me cuesta ir a dormir, me siento tranquila acá porque puedo seguir tus pasos junto a los médicos que no paran de vigilarte; pero tengo que descansar porque mañana va a ser un día de mucha adrenalina.

1.15 HS

Subí a buscar la crema. Voy a hidratarte bien las piernas y los brazos. De paso te pongo agua bendita así encarás este día con toda la fuerza y vitalidad. ¡¡¡Hasta dentro de un rato, mi amor!!!

7.35 HS

Sentada en el *hall* de Terapia, espero que me hagan entrar para verte. ¿Cómo habrás pasado la madrugada? Dormí cinco horas y me duele un poco la panza desde anoche.

Tenés la piel muy suave. La crema dio resultado. Tus presiones están tranquilas.

9.55 HS

Estoy en la sala de espera de Terapia y nadie se asoma a decir algo. Arriba en la habitación están Fer, Maru, Silvia y Luis. ¿Ya habrán empezado a bajarte las drogas? Escuché al doctor Henry a través de la puerta que te sacó unas dosis de la adrenalina y está pidiendo unas placas. Seguimos esperando.

11.40 HS

Estoy por presenciar tu "destete" (me gustó esa palabra). Comenzaron a sacarte el respirador. Somos el doctor Henry, el doctor Sebastián (el pelado), De Simone (el subdirector), Ana Pereyro la mamá de Maru y yo. Te sacaron el medicamento de la presión arterial definitivamente. Ahora están bajando las drogas para empezar a despertarte.

¡Qué momento! Creo que nunca antes viví una situación tan extrema. A vos te bajan la adrenalina pero yo soy pura adrenalina. Por favor, que esto nos sirva para valorar mucho más cada minuto.

Nunca más perdamos tiempo en pequeñas cosas o enojos que no conducen a ningún lado. La vida es hermosa. Es corta. Es intensa. Valorémosla.

El impacto emocional de este momento es indescriptible. Siento que solo es posible expresarlo claramente con palabras si toca vivirlo. Pero hasta a mí me cuesta. Es una sensación corporal que te atraviesa. Por eso se llaman situaciones límite. El nombre lo indica. El momento en sí es tan fuerte, tan extremo, que todo lo demás queda allá lejos, sin importancia.

El temor que te genera estar tan cerca de la experiencia del dolor, lo irreversible, la muerte, alimenta la sensación de desafío. Tenemos que ser lo suficientemente fuertes para poder afrontarlo y seguir adelante. Para hacerlo es necesario comprender el sufrimiento, zambullirse en esto que estamos viviendo, vivir el sufrimiento, la desesperación, la lucha. Esto es una parte de la existencia. "Está bien —digo para mis adentros—, nos tocó vivir esto y haremos todo lo posible para superarlo". Aprendamos de la situación límite, si no, ¿para qué sirve?

Vos estás llena de vida, recién empezás una carrera, te-

Hay que ser lo suficientemente hábiles como para lograr salir de la adversidad, recuperarnos y acceder a una vida significativa y productiva.

nés unos amigos maravillosos, mucha gente a tu alrededor te quiere y está apoyándote para que salgas de esta viva.

También debemos ser fuertes para pelearla una vez que vuelvas del estado de coma. Horacio no quiere que piense en eso, pero yo no puedo dejar de hacerlo. No sabemos qué secuelas puede dejarte haber pasado por esta situación. No quiero adelantarme a los hechos, pero tenemos que pensar que lo más probable es que cuando ganes esta pelea, tengamos que seguir dando mucho de nosotras en varios *rounds* más. Y lo haremos, nada podrá detenernos. Somos un equipo fuerte que va a dar batalla ante cada tormenta.

Insisto en un punto crucial: somos un equipo. No se trata solo de la persona que está peleando por su vida, inconsciente, dentro de las cuatro paredes de Terapia intensiva. El paciente y la familia constituyen un equipo. Y en ese sentido, me parece que todos tenemos que exigirle al sistema de salud que contemple la importancia que tienen los afectos, la compañía y la contención en la recuperación de una persona. Creo que es preciso cambiar las normas que rigen en Terapia intensiva. Sería muy interesante conformar un equipo de trabajo incorporando a uno o dos parientes bien cercanos: familiar, pareja, amigo del paciente. Y que esa persona pueda permanecer con él durante 17 ó 18 horas haciendo su tarea. Los médicos tienen a cargo salvar la vida de la persona. Pero el que se quede con el paciente puede tener la tarea de darle amor, acariciarlo, ponerle música, ponerle cremas, cortarle las uñas, comunicarse, por ejemplo. Es hora de pensar en humanizar un poco más la medicina.

El contacto con alguien cercano durante mucho tiempo es muy importante. Para mí no sirve estar una hora al mediodía y otra hora a última hora del día, que son los momentos donde te dan los partes médicos. Todos son importantes en sus tareas, pero nos estamos olvidando del vínculo amoroso que también va a aportar lo suyo en el consciente o inconsciente del paciente. Aunque la persona enferma esté en Terapia consciente o esté en un coma, el inconsciente registra todo aquello que las personas tienen para darle: amor, contacto físico, palabras lindas al oído. Creo que es algo que se debería incorporar. Alguien que se haga cargo de mandarle los mensajes amorosos más allá de la ciencia y, de este modo, al paciente no se lo deja tan aislado.

Estoy convencida de que después de pasar por esta situación vamos a salir fortalecidas, hija. Seguro, todo lo que aprenderemos en este camino nos va a servir de mucho para afrontar con mayor confianza cada uno de nuestros días. Debemos lograr tener una mirada más amplia, que valore el aspecto positivo de cada situación, aún de la más triste y difícil. Tenemos que poder observar desde una nueva perspectiva que permita descubrir una nueva configuración y la elaboración de nuevas estrategias ante cada uno de los inconvenientes que se presenten.

La actitud es fundamental. Se trata de alimentar una actitud vital, que nos conecte con lo más instintivo, que nos aferre a la vida, que alimente las ganas de vivir en cada segundo.

Vamos a salir enriquecidas después de dar esta batalla. No podemos cambiar lo que sucede, pero nos tenemos a nosotras, y es positivo pensar que implica un desafío poder encontrar las herramientas necesarias para salir más fortalecidas de esta situación extrema. La vida tiene un sentido fundamental, estamos acá para disfrutar, para crecer, para aprender, para ser cada día mejores personas, para ayudar al otro, para hacerles la vida feliz a nuestros hijos, para crear y criar seres pensantes, con criterio, que tengan los conocimientos suficientes para ser libres y hacer de este mundo un lugar que merezca la pena ser vivido plenamente.

Está bueno preguntarse, cada tanto, por el sentido que uno le da a su propia vida. Y entonces, poder pensar y actuar en consecuencia: qué caminos y formas tengo para construir ese sentido, cómo le encontramos sentido a cada día.

Todos tenemos algo para aportarle al mundo, y esto no tiene solo que ver con el aspecto material. Además, la experiencia, el paso por la vida nos aporta algo constructivo a nosotros. Cada cosa cuenta: desde el más mínimo encuentro con alguien, o la vivencia de una experiencia que nos hace sentir algo nuevo, que nos despierta, que moviliza nuestros sentidos. El amor es el ejemplo más claro y extremo de esto. Pero sobre todo, me parece que la actitud es lo que nos habilita a vivir, a hacernos cargo del sentido de la vida. La postura que adoptamos ante los sucesos que se van desencadenando, más allá de lo que tengamos previsto, la postura que tomemos ante el destino, ante lo que no podemos cambiar. Con qué valores, con qué actitud le hacemos frente a una situación límite, ante el sufrimiento, ante la posibilidad de la muerte.

Y es imposible no pensar en que a veces es gracias a estas situaciones límite que aprendemos a valorar el instante, que lo que estas experiencias hacen es ponernos en contacto con la posibilidad del fin, de la muerte, de ese preciso momento en el que dejamos de estar con los nuestros, desarrollando la vida como la conocíamos. Esto uno puede pensarlo con la propia vida, pero con la de un hijo es muy difícil hacerlo. El ritmo natural indica que ellos nos sobrevivirán a nosotros, que ellos están llenos de energía y rebozan de salud. Uno nunca está preparado para vivir una situación ante la cual piense que su hijo puede perder la vida.

Ante una situación límite la vida toda se pone en cuestión y nos interpela. Y entonces tenemos que encontrar una salida, debemos poder darle sentido a esa experiencia, debemos encontrarle sentido a la vida.

Hay que ser consciente de que algún día la vida se acaba. Es este dato el que nos obliga a hacernos cargo de nuestros actos, a ser honestos con los deseos más íntimos, más genuinos, y a no ir por la vida con piloto automático.

Ahora, Malena, lo más importante es que te cures de a poco, y que tu parte sana se fortalezca de manera tal que pueda sobrellevar este momento. No podemos rendirnos, tenemos que dar batalla con todas nuestras fuerzas.

Es indudable que uno crece al pasar por situaciones límite, uno madura a pasos agigantados, es una instancia de enriquecimiento personal. Pasar por estas situaciones nos permite conocer un aspecto de nuestra personalidad que no sabíamos que existía. Todo esto que nos está pasando nos ayuda a bucear dentro de nosotros mismos y saber de qué somos capaces.

Aquí estaré, hija, siempre a tu lado.

CAPÍTULO 8

❋ El despertar ❋

¿Cuándo vas a abrir los ojos, Malena? A veces me repito que todo saldrá bien, pronto vas a volver a estar al lado mío. Te estoy esperando, te extraño, necesito oír tu voz, volvé, mi amor. Me pregunto una y otra vez cuándo llegará el momento en el que despiertes… Paso esta espera escribiendo al lado tuyo.

Seis días. Pasaron exactamente seis días desde que tuviste tu accidente. Desde ese momento la vida se detuvo para vos y también para mí, las dos cruzamos un misterioso umbral. Ausente, muda, inmóvil, sos mi guía.

12.00 HS  DOMINGO 16 DE FEBRERO

Un enjambre de tubos te envuelven. Todavía no me acostumbro a verte toda conectada, siempre dormida, al ronroneo del respirador, a las sondas y agujas, a tu cabeza que raparon y, luego de la operación en la que te sacaron parte de hueso del cráneo, cubrieron con vendas.

Lo bueno es que hoy te sacan el respirador y vas a comenzar, de a ratos, a arreglártelas solita. Ahora bajaron las drogas que venían dándote porque la intención es empezar a despertarte. Un grupo de doctores y yo estamos acá con vos.

De pronto, algo me llama la atención y dejo de escribirte: tenés la mano derecha en tensión. Le marco eso al doctor De Simone, pero me dice que no lo nota. Al instante siguiente, veo que una de tus manos se mueve. Bueno, en realidad, se cae del almohadón donde estaba apoyada. Otra vez le llamo la atención a De Simone: "Se está moviendo", le digo. Mi insistencia logra que él vea cómo tu mano se desliza cuando intenta acomodarla.

Entonces, el doctor Henry te dice al oído con voz fuerte:
"Malena, Malena". Y otra vez: "Malena". Yo estoy ubi-
cada a los pies de tu cama y con toda mi energía (la que
vos me das) digo varias veces: "Malena". Lo hago con
todo el poder que me da la garganta, pero sin gritar.

"¡Malena!". Te llamamos yo y los médicos y la habitación se llenó con tu nombre.

De Simone me ofrece tu mano izquierda para que yo la
tome. Sigo hablándote y no parás de contraer tus dos manos.
Te digo: "Te siento, Malena. Sí, mi amor. Estamos todos con
vos, amor de mi vida. Sí luz de mi vida, sí chiquita".

En ese momento, no podía dejar de conectarme con vos.
Te hablaba todo el tiempo, quería hacerte saber que no estabas sola en esa, que yo estaba al lado tuyo para darte apoyo,
amor, contención. "Mamá está con vos, Malena", te repetía.

Jamás pensé vivir un momento tan fuerte, tan sorprenden-
te e intenso como el de verte reaccionar. Tantos días como
dormida y, de pronto, volvías a mover las extremidades.

Tuve la sensación de haberte vuelto a parir. Y te lo dije
en ese mismo momento: "Te estoy pariendo, Malena".

Calculo que habrás comenzado a mover tus manos a las

12.20 del mediodía. Y me habían advertido que, probablemente, no iba a estar en el momento exacto en el que despertaras. Me lo dijeron para no generarme expectativas que luego no se iban a poder colmar. Pero me quedé aferrada a vos como una garrapata y pude ser yo la que detectara tus primeras reacciones. ¡Qué emoción, hijita, que fui yo la que notó la primera señal de que te estás despertando!

No sabés la alegría que me dio cuando vi que tenías la mano tensa. Y lo noté en seguida. Claro, nadie te miraba con tanta atención como yo. Pasé tantas horas al lado tuyo, revisándote de pies a cabeza, observando los números y líneas en las pantallas; esas ceremonias hicieron que prácticamente supiera cómo estaban cada uno de tus músculos. Por eso fui la primera en darme cuenta de que había algo diferente en vos: ya no tenías la mano relajada como antes, tus dedos estaban crispados y pude verlos desde los pies de tu cama.

¡¡¡Gracias hija, por este momento!!!

15.00 HS

Comí fideos con manteca y ahora estoy como si me hubieran dado una flor de paliza. Me había relajado y el cuerpo empezó a sentir la tensión acumulada durante estos días. Sentí como si de golpe sufriera los efectos de una golpiza.

El estar siempre alerta, atenta, generó que se me instalase una contractura permanente. No percibía los dolores hasta que me solté y se me aflojaron las piernas, el cuerpo, los párpados. No tuve otra alternativa que irme a dormir, a descansar. Te dejo con dos enfermeros: Eva (madraza total) y Edgardo. Ellos te van cuidar.

17.50 HS

Dormí profundamente dos horas. Me sentía molida, realmente. Acabo de hablar con el doctor Henry. Dimos un paso hacia atrás. Levantaste a 39 grados de fiebre. Te hicieron un lavaje pulmonar y te volvieron a sedar y a medicar para mantener controlada la presión arterial. Ahora van a meterte una artillería de antibióticos mucho más fuertes para combatir la infección que tenés en los pulmones. En fin, estaba previsto que esto podía pasar. Uno hubiera deseado que no ocurriese, pero estamos fuertes, Malena. Y los médicos están atentos y eso me da tranquilidad.

Voy a comer una ensalada. Me pongo el "pijama" y vuelvo a darte un besote.

23.00 HS

Ya hace un rato largo que estuve acariciándote. El doctor Sebastián dice que permanecés estable.

Te están haciendo una transfusión de sangre porque con

la infección tus glóbulos rojos desaparecieron; no mucho, con este cuadro es normal.

¡Qué largo este domingo!

En la calle, a una cuadra de la clínica, hay una murga. Dicen que es carnaval. ¡Qué contraste! Todo lo que nosotras estamos viviendo hoy es tan diferente a esos festejos.

De pronto, me doy cuenta de que perdí la medida del tiempo en este edificio blanco que suele ser tan silencioso. Aquí adentro, se esfumaron las fronteras de la realidad.

104

12.10 HS

  LUNES 17 DE FEBRERO

Un día más. Resulta difícil tener tiempo para escribir. Estuve muchas horas con vos, para acariciarte, besarte y hablarte. Sostengo tu mano izquierda y me movés el dedo gordo y el índice. ¡Es emocionante! Te juro que me vuelve el alma al cuerpo. Es tan grande la felicidad que siento ahora, que no puedo imaginarme la que voy a sentir cuando abras los ojos y podamos mirarnos. Todos afuera siguen rezando por vos.

16.15 HS

Ya van 35 minutos que estoy junto a tu padre, a la espera

de que salgan los médicos con noticias. Eso quiere decir que te están despertando. Estoy sumamente ansiosa. Varios doctores están con vos en esta tarea.

17.30 HS

Seguís con el respirador artificial y la droga te la están bajando con mesura. Recién a la hora y 45 minutos salió un médico y dijo que te movías, tosías, movías tu pierna derecha más que tu brazo derecho pero que igual hacía resistencia. Dijo que pasarán unas cuantas horas para que te despiertes totalmente. Ahí estaremos.

20.00 HS

Verte salir de las drogas es muy fuerte. Tenés mucha secreción por nariz y por boca. Te dan unas arcadas tan tremendas que te retorcés en la cama y a mí se me dobla el corazón, pero aprieto las mandíbulas y hago fuerza. No paro de "pujar" y pienso: "Mi beba va a salir por el conducto de la vida que la espera con mucha ansiedad".

Acaba de entrar el otorrinolaringólogo. Te va a hacer una endoscopía. Me quiero ir, pero finalmente me quedo. Y de pronto te veo toda violeta, te retorcés con una energía que asusta. Es una imagen muy fuerte. No puedo verte así, sufriendo de esa forma, crispada por tanto dolor.

Me tuve que ir de la habitación, yo misma me estaba ahogando al verte así. Ahora estoy en la escalera con Elsita, que una vez más nos acompaña en los momentos difíciles.

20.45 HS

En una semana te metieron en el cuerpo 16 litros de líquido que ya estás eliminando. ¡No sabés cómo estabas de hinchada! Te pusieron analgésicos para el dolor y cada vez es menor la sedación.

Una buena noticia es que el conducto que va de la conciencia a la parte motora está conectado. Por ejemplo, te pellizcaron, llegó la información de dolor a tu cerebro y este le ordenó a tu mano defenderse. ¡Le pegaste a la persona que te pellizcó! Eso es muy bueno.

Ya es tarde, mi amor. Las dos nos sentimos agotadas. Hacés una gran estirada sin bostezo y, al rato, te sumergís en la más absoluta tranquilidad.

7.25 HS MARTES 18 DE FEBRERO

Estoy en el *hall* de Terapia esperando que me atiendas. Pasaste una buena noche. Esta vez, agarré tu mano derecha para estimularla. Es la parte del cuerpo que tenés más débil.

La doctora Gabriela, de ojitos claros, que hoy va a trabajar con vos te mandó a recortar el borde de las valvas para que no lastimen el hueso de los pies. Ella hace ejercicios con tus brazos y tus piernas. Te agarra tos y hacés tanta fuerza que te ponés violeta. El corazón me late fuerte y se me estruja el alma.

Ahora te está aspirando la secreción y yo te espío mientras escribo. Creo que lo que te están haciendo es una de las cosas más dolorosas y crueles para presenciar. Te desfigurás del sufrimiento, te sale espuma por la boca. Y es tal la violencia con la que te agarran esos ahogos que resulta muy fuerte verte así.

Vuelve la calma y la doctora te dice en tono enérgico y elevado: "Malena, vamos a moverte un poquito". Te dobla las piernas, te estira el empeine, hace rotar tus pies.

Suena la voz de Pavarotti que canta con U2. Tus brazos van al compás. La doctora los estira, los lleva hacia atrás y hace rotar las muñecas de tus manos. Siento que todo esto sucede en cámara lenta. ¡Qué imagen! Es un lindo momento, muy coreográfico. Después de tanto tiempo en el que permaneciste inmóvil, tengo la sensación de verte danzar. Y con esa música sublime que tiene que ver un poco con vos, por el lado de U2, y otro tanto conmigo, por el aporte de Pavarotti. Es hermosa la unión de todo eso. Es un momento que voy a recordar siempre.

13.00 HS

Están con vos los médicos, te movieron, te hablaron y se quedaron reunidos debatiendo.

Te sacaron un montón de cosas, entre ellas el catéter que marcaba tu presión. Ahora te la toman con el aparatito y está normal. Durante el día te van a hacer un electroencefalograma para evaluar la parte neurológica y a última hora otra tomografía computada.

El enfermero me dijo que tenés un poco de sinusitis y mañana el otorrinolaringólogo te va a aspirar lo que se pueda. Ay, ¡cuánta cosa! Cada tanto, digo con los dientes apretados: "¿Cuándo la vas a cortar queridísimo Dios?".

8.00 HS

 19 DE FEBRERO

Me di un baño buenísimo. Estás empezando a despertarte de nuevo. Mucho bostezo y repiqueteo de los párpados, pero no querés abrirme los ojos. Hoy no pienso parar: saqué toda la artillería y te voy a bombardear a palabras.

Volvió la "señora Fiebre". ¡Qué bronca me da! En momentos así, siento que todo esto no se va a terminar nunca. Pero sé que tengo que estar entera y transmitirte buena energía.

13.00 HS

Ahora no puedo escribir tanto porque estoy estimulándote con la palabra y las caricias. Te cuento que antes te pusimos los auriculares con el compact Malena 2 en castellano y te moviste más con dos temas puntales de Ricardo Arjona: *Desnudez* y *El problema*. Me asombra que justo con semejantes títulos de canciones vos reacciones así. Estás totalmente desnuda (solo tapada con una sábana) y te movilizan las canciones *Desnudez* y *El problema*. Uno ni se imagina hasta qué punto trabaja el inconsciente.

16.00 HS

En este momento está la kinesióloga Gabriela Guarini que cumple años el 11 de marzo, igual que vos. Te masajea y te está aspirando los mocos y la saliva. En cuanto me dejen arranco yo con el trabajo corporal. Preparate.

17.35 HS

Empezás a reaccionar. Te hablé. Giraste tu cabeza hacia mí, buscando mi voz con los ojos entreabiertos. Sentí que me estabas mirando. Con Nancy (la enfermera) nos miramos con emoción. Eso lo hiciste dos veces.

Reunión de médicos con vos. Los doctores te gritan Malena, vos giras tu cabeza hacia ellos y abrís los ojos como el dos de oro. Veo todo desde el sillón y me agarra una emoción incontenible.

Evidentemente, como dijo el doctor Henry, la música para vos es un buen estímulo.

12.30 HS 20 DE FEBRERO

Los médicos están esperando resultados del laboratorio para el siguiente paso. Tienen la intención de empezar a disminuir la acción del respirador para que respires por tus propios medios. ¡Qué momento!

Vino a verte un neurólogo capo y dijo que cree que dentro de las 48 ó, a más tardar, 72 horas vas a despertarte. Es el doctor Rey y fue optimista con vos.

22.45 HS

Comí con Grace y ahora, amor mío, voy a bajar para darte el besote de las buenas noches.

8.40 HS VIERNES 21 DE FEBRERO

Me pegué un lindo baño y estoy esperando que terminen de sacarte una placa para poder entrar.

Te cuento que me desperté sobresaltada a las 5.30. Tuve

un presentimiento de que algo te pasaba, y bajé a verte. Pero los enfermeros no escucharon el timbre. Entonces, al final, no pude entrar. Por suerte, esa sensación angustiante se me pasó y volví a dormir un rato más.

Empezaste a abrir los ojos con más continuidad, y ya no apenas, calculo que casi llegás a tenerlos un 80 por ciento abiertos. Además, competís con el respirador: un poco respirás por la máquina y otro tanto por tus medios. Los médicos alternan para que no te sientas cansada. Ahora te van a aspirar los mocos. Como tenés bastante tos (porque te molesta el tubo en la boca) y con la aspiración te ponés molesta, preferí salir. Sufro mucho cada vez que te veo pasar ese momento, que atravesás con tanto rechazo y dolor.

Como dice Serrat, "hoy puede ser un gran día". Hay cambios en tu estado, lo notamos los que estamos siempre con vos. Podemos comprobar tus progresos. Pero si tomamos tu etapa de despertar, hoy se vislumbra como un día particularmente especial.

Estoy en contacto con vos, sé que podés oírme, que sentís, que te emocionás. Y sigo a la expectativa, mi amor, de que muevas una mano, un dedo, los párpados. Sé que el momento de que vuelvas a comunicarte está cerca. Por eso, detrás del respirador ordené el altar, con el agua bendita, las estampitas, los rosarios y las vírgenes. Además, puse la camiseta de boca frente a tu cama, para que cuando abras bien los ojos y vuelvas a la consciencia puedas ver la camiseta del equipo de tus amores.

Es cierto que me puse ansiosa no bien me avisaron que iban a empezar a despertarte. Mi falta de conocimiento en el tema hizo que imaginara que apenas te sacaran las drogas ibas a despertarte totalmente a la mañana siguiente. Pero no. Esta etapa consiste en un trabajo gradual que, ya me anunciaron, dura al menos tres días. De a poco van liberando a tu cuerpo de los efectos de las drogas.

Ahora, durante tu proceso de despertar siento que estoy más pendiente de vos, de cada mínimo movimiento de tu músculo. Busco todo el tiempo nuevas señales de que vas a volver a estar conmigo. Sigo con atención la aparatología que te rodea, los números de las pantallas que cada vez me resultan menos una incógnita.

17.45 HS

Notición: te pedí que me abrieras los ojos, lo hiciste y me miraste. Te pedí que me apretaras la mano y lo hiciste con suavidad. Tenés una bolsa de hielo y la pellizcás. La mano la levantás en dirección al respirador. ¡Qué emoción!

Ahora te están bañando y van a aspirarte la secreción. Espero para verte de nuevo. Hoy es un día de mucha emoción para todos. ¡Gracias, Malena! Pongo mis manos sobre tu cabeza y tu pecho y trato de transmitirte salud y energía.

Te llamo por tu nombre y te digo mil veces que te amo, Malena, te amo, y lo repito una y otra vez. Te doy un beso de buenas noches y luego camino lentamente hacia la salida. Afuera espera tu tribu.

CAPÍTULO 9

❀ La tercera etapa ❀

Malena recupera fuerzas y toma conciencia, se acerca más a la vida de este lado. Ya superó la peor parte: el coma. Pero también siente furia, está confundida y la asaltan ataques de llanto. Siento que tengo una fuerza inagotable para estas luchas cotidianas y que me invade una calma budista cuando se trata de soportar dificultades. Llega el momento de contarle lo que ocurrió. Pero ¿cómo decirle la verdad sin hablarle todavía de lo grave que estuvo?

11.20 HS

Te quitaron el respirador artificial. ¡Qué momento! Llevás una hora y cuarto respirando sola. Estás tranquila, con mucha paz. No te excitaste ni te dio taquicardia. Todavía tenés el tubo en la garganta y por eso mismo te hacen nebulizaciones para que no se sequen las vías respiratorias. Bostezos y tos, te hablo y me mantenés más la mirada y apretás mi mano. ¡Estoy tan feliz!

Te vio el gallego Neira (terapista consultor) y se puso muy contento. ¡Aguante, Malena!

Siento que a partir de este momento otra etapa está empezando para las dos.

14.15 HS

Te sacaron el tubo de la garganta. ¡Viento en popa! ¡Estamos tan contentos todos!

17.15 HS

Ya van tres horas desde que te desentubaron. Ahora, el otorrinolaringólogo te va a hacer una rinoscopía para ver si no está lastimada la laringe, la tráquea, por donde andan las cuerdas vocales. Te juro que ya me pierdo con tanta palabra, tanto tecnicismo y discurso médico.

Tenés tos de perro y puede ser que los primeros días no te salga la voz. Ronca, como puedas, me muero de ganas de que me hables.

Hiciste un poco de fiebre y la están bajando con bolsas de hielo.

Del laboratorio vienen a sacarte sangre. Tenés más pinchazos que Juan y Pinchame (no pude evitar el chiste).

Si ven que en la tráquea hay edema y poca luz para que entre el aire, podés cansarte de respirar y eso quiere decir que vuelven a entubarte. Espero que no pase porque voy a romper algo.

Hasta ahora me sentía tan optimista, tan cerca de tu recuperación. Y, de golpe, se presentan los obstáculos. No estoy con ánimo de aceptar ningún paso hacia atrás y, sin embargo, es necesario que atraviese estos vaivenes. Que siga con la misma entereza que mantenía para que, cuando finalmente regreses con nosotros, pueda recibirte y darte contención.

18.35 HS

Pasamos a otro proceso. No sé si decir la tercera etapa, pero lo cierto es que ya estás entrando en la conciencia.

Empezaste a recuperar las fuerzas. Tus manos quieren arrancar todo lo que tenés puesto. Me mirás preguntando con los ojos: "¿Por qué? ¿Qué pasa?". Hay momentos que expresás tu dolor con la mirada, diciéndome: "Basta, mamá". Quisiste hablar, pero no podés, y te susurré al oído: "No, Malena, no hables; si hablás me echan".

Siento tanta impotencia. Me duele tanto seguir viendo como peleás. Me pregunto cuántos *rounds* faltan.

Te lavaron la boca echándote agua con una jeringa y después aspirándola con una manguerita.

El estudio de la rinoscopia señala que la tráquea está intacta. Eso es muy bueno, significa que no hay que volver a entubarte. La parte mala del asunto es que tenés una llaga en las cuerdas vocales del lado respiratorio (por eso no podés hablar).

Llegó la comida. Grace pidió peceto. No tengo hambre. Me siento apaleada. Para darme ánimo recuerdo un proverbio chino: "Esto también pasará". Pensamientos así me ayudan a atravesar las noticias malas que surgen en medio de los avances.

10.05 HS SÁBADO 22 DE FEBRERO

Ya se cumplieron 12 días desde que entramos al sanatorio. Anoche no pude irme de tu lado. Estabas más consciente, molesta por las sondas y la mascarilla de oxígeno, con ataques de tos. Preferí quedarme durmiendo sobre la frazada en el piso, bien cerca tuyo, pegada a tu cama. Al final vos descansaste toda la noche y yo terminé yéndome a las 5.40, a acostarme un rato en la cama de mi habitación.

Después de desayunar fui a verte. Es increíble lo mucho que avanzás en términos de horas. En este momento estás respondiendo a órdenes de la kinesióloga. Apretás tus manos, las abrís, doblás las piernas. El doctor Sebastián te preguntó si eras de River y vos, como buena bostera, casi le tirás la piedra negra volcánica que tenés en tu mano. Te pregunté si tenías sed y contestaste que no con la cabeza. Lo grandioso fue cuando la kinesióloga te hizo cosquillas en la planta del pie derecho y te dijo: "¿Tenés cosquillas, Malena?". Vos doblaste la cabeza hacia la derecha y "sonreíste". Juro que la habitación se iluminó. A nosotros nos diste luz. Fue un momento glorioso que nos sorprendió.

No esperaba ver tan pronto una sonrisa tuya. Pero no pude dejar de notar que no era tu sonrisa de siempre, tu carita mostró una expresión sumamente aniñada.

Ahora están bañándote y yo aprovecho para escribir.

16.45 HS

Te debatiste entre la vida y la muerte. Volviste a nacer y como buena bebé ya dijiste tus primeras palabras. Te preguntaron: "¿Cómo te llamás?" y dijiste: "Malena" con voz afónica como la de *El padrino*, por las lastimaduras y la inflamación que tenés en las cuerdas vocales.

Están con vos, moviéndote, la kinesióloga Gabriela, la doctora Inés y la enfermera Nancy. De golpe, gritás: "Quiero a mi mamá". Ese fue el principio de una serie de quejas tuyas. Seguiste con: "Basta, déjenme de hinchar" y, por último: "Son unas hijas de puta".

Estás furiosa. Querés arrancarte todo. Y al principio pienso "ya está en carrera la Malena que todos conocemos". Pero después me doy cuenta de que no eran reacciones habituales tuyas. Esto no es uno más de tus arranques de rebeldía o demostraciones de carácter. Este momento tiene que ver con lo duro que le está resultando a tu cuerpito salir de tanta droga. Es un momento muy cruel que te toca vivir. Me explican que es normal sentir ese tipo de violencia al salir del coma.

Y me doy cuenta de que esta Malena no es la que yo conocía, sino una Malena rabiosa por lo que le toca atravesar a su organismo.

Acabo de presenciar tu baño: agua y jabón en una jarra que te distribuyen con un trapo por todo el cuerpo. Sostengo tus muñecas para que no te saques las sondas de la nariz. En los glúteos tenés dos parches para que la posición no te escame la piel.

De pronto abriste los ojos, levantaste las cejas con expresión de asombro y no sé qué paso entonces por tu mente, Malena, empezaste a llorar con gran tristeza, un llanto de impotencia y de miedo. Te abracé, por ahora no podés moverte pero poco a poco te recuperarás, no podés hablar porque tenés lastimadas las cuerdas vocales, pero pronto vamos a poder contarnos todo, tu tarea en esta etapa es sólo respirar profundo. Te fuiste calmando de a poco, sin despegarme los ojos y te fuiste durmiendo.

Pero después tuviste dos ataques de llanto más. A mí se me dobla el corazón, pero no puedo hacer otra cosa que hablarte, hablarte y hablarte. Un poco dulce y otras con un tono más enérgico. No es una etapa fácil, hay que llenarse de paciencia, sacar la artillería y mirar hacia delante.

23.45 HS

Desde hace rato que tenés a todos bailando y no es precisamente por el corso del Carnaval que sigue dele tocar en la otra cuadra. Te cuento que tuviste otra crisis de llanto. Pasaste tu brazo izquierdo por mi cuello. Me llevaste hacia vos. Apoyaste mi cara contra la tuya abrazándome.

Te incorporaste. Con tu mano acercaste nuestras caras y me diste un pico. Te pusiste a llorar y yo me quebré. Fue un momento hermoso, de tanto amor, de gran unión. Los enfermeros Eva y Sebastián nos miraban conmovidos. Y yo recibí todo ese cariño como una suerte de confirmación de que estábamos conectadas.

Siempre nos dimos picos, hasta el día de hoy nos damos picos. Por eso, ese momento me emocionó tanto: sentí que había una memoria de su vida antes. Todo eso se sintetizó en un gesto. Si me hubiese dado un beso en la mejilla, hubiese sido otra cosa. Pero fue tan intenso el instante porque Malena mantuvo conmigo los mismos códigos que nosotras teníamos antes. Me di cuenta de que con esa demostración mi hija quería decirme que era la de siempre: había vuelto.

00.05 HS

DOMINGO 23 DE FEBRERO

Reconociste a Carolina, tu terapeuta, cuando te habló. Después, pediste por tu "vieja". Yo estaba cenando Chop-Suey con Grace, Fer y Maru, pero en cuanto me avisaron que me llamabas bajé corriendo con la comida en la garganta.

Mientras camino rápido hacia tu cama por las escaleras que me separan de tu habitación, voy rogando que estés mejor, que no tengas fiebre ni el corazón agitado, que respires tranquila y tu presión sea normal. Cuando llego, te veo superexcitada. Pero te calmaste cuando tuviste agarrada mi mano.

Subí a descansar un poco. Quedaron en llamarme si vos volvés a reclamar por mí. Ya entramos en el día 13.

5.00 HS

Estoy durmiendo, suena el teléfono, atiendo: avisan de Terapia que no es urgente pero que me estás llamando. Voy al baño, me tomo un cortado rápido y bajo. Me dicen que pasaste bien la noche (todos pensaban que ibas a dar baile).

Nos agarramos las manos, nos miramos todo el tiempo, en un momento me decís: "No entiendo nada". Vuelvo a contarte que te golpeaste la cabeza, pero que estás bien y que falta poco para que podamos irnos las dos a casa.

A esta altura, Malena ya era más consciente de la situación. Sabía que pronto me iba a pedir que le detallara qué le había pasado. Por eso, ya tenía bien pensado lo que iba a responderle: "Sufriste un golpe en la cabeza". Todavía era muy pronto para hablarle del derrame.

Sabía que la información, en lugar de toda junta, era conveniente entregarla de a pequeñas dosis. Pero, claro, sostener una verdad a medias, a veces lleva a una mentira.

En ese momento tan enrarecido que ella vivía, quise tranquilizarla y darle ánimo diciéndole que nos íbamos a ir a casa muy pronto. El problema fue que Malena interpretó que nos íbamos a ir en ese mismo instante.

De pronto, hija, movés las piernas con la intención de salir de la cama. Te freno diciendo: "¿A dónde vas?". Vos te angustiás, llorás, estás agitada. Nos besamos y te acaricio, entonces ya no intentás arrancarte las sondas. Solo te rascás la nariz y te tocás los cablecitos. Balbuceás cosas, hago un esfuerzo por entenderte, pero no hay caso. Te dormís.

Subo, hago pis, tomo café y te bajo las zapatillas. Estás más cómoda que con las valvas.

7.00 HS

Terminó el turno de los enfermeros Eva y Sebastián. Se despiden de vos y les tirás un beso al aire. Luego llevás tu mano a los labios y les tirás otro beso. Me emociono hasta la médula.

11.00 HS

Descubro que te hicieron un corpiñito con gasa y algodón para marcar la tasa. Estás muy fashion. Qué graciosa la solución que encontraron para que no estuvieras siempre en tetas, porque permanentemente te bajás la sábana.

Te sacaron el oxígeno y te dieron flan para ver si tolerás

comer por la boca y te pueden sacar las sondas de la nariz. No sabés la cara de asco que pusiste al tragar el flan. Al mediodía van a prepararte alguna comida hecha papilla.

Se te nota muy agotada. Es lógico, mi amor, en estos últimos días te toquetearon, te pusieron a prueba, te examinaron. Tanta cosa te da sueño. Y yo, te confieso, estoy tan feliz, Malena. Avanzás a pasos de gigante. A todos, los médicos incluidos, se nos dibujó una sonrisa de oreja a oreja.

Te cuento que la doctora Siciliano te preguntó tu nombre. "Malena", respondiste. Después, quiso ver si sabías en qué año estamos. Dudaste y dijiste "2000" y estamos en 2003. "¿Cuántos años tenés?", preguntó, por último, Siciliano. "Diecinueve", soltaste con acierto.

En ese momento, cada respuesta era una sorpresa.

Había imaginado que Malena se iba a despertar como si nada hubiera pasado. Pensé que al volver del coma iba a ser la de siempre.

Y no. Me di cuenta de que si bien los avances eran notorios, todavía el camino a recorrer, dentro de la clínica, seguía. Por eso, la idea de llenar estas páginas seguía teniendo sentido. Además de un desahogo. Y sigo escribiendo esta larga carta para Malena que la va a ayudar luego a saber lo que pasó en el tiempo que estuvo dormida y lo que tuvo que pasar para recuperarse.

14.00 HS

"Mamá, llevame", me decís de repente. Te respondo: "¿Adónde?". No se entiende lo que decís, tus palabras salen confusas, hablás de manera descoordinada, en un idioma extraño. Insisto: "¿Qué me intentás decir, Malena?". Te ponés de mal humor. Pregunto si lo que querés es helado. Con la cabeza, asentís. La doctora pregunta qué gustos y respondés "ananá y frutilla". Dos sabores que jamás elegirías.

El enojo te invade de a ratos. Entre suspiros y quejas, a veces, se escucha clarito que decías: ¡Ay, Dios! y ¡Ay, mamá!. Tenés bronca, te la agarrás conmigo y no hay nada que parezca calmarte en esos momentos. Te ponen la televisión, además de la música. Todos estímulos para que salgas adelante lo más pronto posible. Esperamos a que todo se reacomode. Yo también digo: ¡Ay, Dios!, mientras aprieto las mandíbulas.

17.45 HS

Otro ataque de furia. No podíamos sostenerte entre tres (dos enfermeras y yo). Gritaste: "Hijo de puta", "odio" (yo también lo siento, hijita). Me pegaste. Te retorcés en la cama hasta que el cansancio te gana. Ahora estás calmada, abriendo y cerrando los ojos. Pobre Malena. Sabía que todo eso que le ocurría era porque no entendía qué pasaba, dónde estaba, qué le hacían los doctores. Y ante eso reaccionaba con bronca. Pero, claro, se agotaba de la lucha contra todos, de no encontrar una explicación. Te acaricio para soplarte ganas de salir adelante, para darte paz, armonía y paciencia. Con amor y ternura te vamos a sacar tanto enojo.

18.15 HS

Otro ataque de furia. Te nebulicé y fui dura con vos. Tuve que ponerme firme: ya ni los enfermeros te pueden contro-lar cuando te invaden esas rabietas. No dejás que nadie se te acerque, y un poco de límites, en estos momentos, ayudan.

"¿Querés agua?", te preguntó Nancy, la enfermera.

"Callate", le dijiste en un tono pésimo que me causó gracia (me reía para no llorar, te confieso).

1.10 HS

24 DE FEBRERO

Después de los momentos tensos que pasamos ayer decidí ir a mi habitación. Necesitaba estar sola y reunir energía en silencio. Tomé una pastilla para dormir la violencia que sentía en cuerpo, alma, corazón y mente…

Necesitaba dormir todos esos "¿por qué?" que volvían a ametrallarme con intensidad.

Apenas había pasado una hora cuando me despertó una enfermera. Bajé y estabas hecha un pichoncito. No bien me viste entrar, me abriste los brazos y te pusiste a llorar, nos abrazamos y te dije: "Mi amor". Vos dijiste: "Te amo mucho". Yo te dije: "Yo más". No respondiste nada, solo dejaste caer tus lágrimas. Nos miramos todo el tiempo. De pronto, tus ojos bajan a la remera que tengo puesta y te digo: "Es tu remera". Entonces pongo para atrás el rosario que cuelga de mi cuello y te la muestro sacando pecho, vos la señalás y yo me acerco para que la toques, pero lo que hacés es agarrar el rosario y ponerlo derecho sobre mi pecho.

Cada vez había más conciencia. De parte de Malena y mía también. No era nada grato lo que se venía, lo iba vislumbrando. Por eso, tenía que volver a hacerme fuerte.

7.30 HS

Estás tranquila haciendo tu clase de gimnasia. La Dra. Gabriela te hace cruzar las manos, levantar los brazos al techo y vos respondés. Te sentaron en la cama de 10 a 10.30. Tomaste 50 cm3 de yogur licuado. Tenés que comer para que no te vuelvan a colocar las sondas. ¡Vamos, Malena!

16.30 HS

Dormís como un ángel. Quedás agotada después de cada sesión de kinesiología y de cada comida. Mañana te va a ver el doctor Lisandro Olmos, director del centro de rehabilitación de Fleni en Escobar. Viene para dar un diagnóstico que permita saber el tratamiento que vas a necesitar. La idea es que esta semana podamos ir para Fleni. Lo seguro es que va a ser una rehabilitación que va a requerir que quedes internada. Esto va a permitir que trabajes con toda la intensidad y que los tiempos de recuperación sean más cortos. Ahí debemos poner toda la energía y no permitir que nada te distraiga. Cuanto más intenso sea el trabajo, más rápido vamos a ver los resultados. Es lo que todos queremos.

Tu terapeuta Carolina recién estuvo un rato largo con vos y parece que fue una comunicación intensa la que tuvieron. Ella va a ser también fundamental en tu próxima recuperación.

Antes de que se iniciara la etapa de rehabilitación, Malena quedó muy aniñada y no se le entendía bien lo que decía y tampoco ella comprendía bien. Salir de tanta droga que tuvo su cuerpito y empezar a eliminar todos esos medicamentos desató en ella una furia terrible. La verdad, no tenía idea de que se podían dar ese tipo de reacciones por haber estado en un coma farmacológico con tanta droga encima. Había imaginado que mi hija era como la Bella Durmiente, que iba a despertar como de un sueño largo, tal cual como era antes de haber entrado a la clínica. Pero cuando empezó a tomar conciencia no se parecía al personaje de los cuentos, sino que era alguien enfurecido por todo lo que le había tocado pasar. Tan intensos fueron algunos ataques que ni entre los dos enfermeros y yo la podíamos sostener. Muchas veces llamaban en el medio de la noche: "Vení urgente porque no la podemos parar". Y yo bajaba a toda velocidad, en pijama, y me la encontraba gritando "hijos de puta". Cuando la veía así, la agarraba y le ponía límites. En ese momento, me di cuenta de que tenía que volver a ser una mamá con autoridad. Ella necesitaba mi cariño, pero también mi firmeza. Sentí que tenía que ser su guía y orientarla, como si fuera una nena que empieza a dar los primeros pasos, para que atravesara del mejor modo ese duro momento. De alguna manera, volvía a pertenecerme, como cuando era un bebé y dependía por completo de mí. Sabía que necesitaba más que nunca del amor de madre.

CAPÍTULO 10

❊ Aprendiendo de la experiencia ❊

Sentí mucho miedo, pero ahora veo que hay una salida de escape. En los peores momentos, tuve muy presente la frase budista que me regaló Rita Cortese: " Quien no conoce la enfermedad, solo conoce la mitad de la vida". Es posible ver lo bueno ante la desgracia.

Hace quince días, a esta misma hora, yo era otra mujer. Todavía saboreaba el éxito que había provocado entre los argentinos mi personaje de la Torda de *Campeones de la vida* y protagonizaba *Costumbres argentinas*, una de las tiras de ficción del momento.

En menos de un mes me transformé. Con experiencias así todo se resignifica: los vínculos familiares, las relaciones con los amigos, las rutinas diarias, las ocupaciones y preocupaciones.

Hoy veo la vida de otra manera, ¡cómo vamos a sacarle el jugo a cada día no bien salgamos de esta!

11.00 HS

MARTES 25 DE FEBRERO

Estás durmiendo y aprovecho para escribirte. Bajé a verte bien temprano, a eso de las 8. Ya habías desayunado, y muy bien: tres cuartos de una taza de té con leche, dos vainillas y dos galletitas untadas con queso blanco. Estuvo la nutricionista, Silvina, y quedamos que para el almuerzo te van a traer pollo cortado en trozos chiquitos. No va a hacer falta que sea licuado porque conseguiste tragar bien.

A las 10 estuvo el doctor Lisandro Olmos, director del instituto de rehabilitación Fleni en Escobar. Vino a hacerte una evaluación junto a los médicos del Dupuytrén y combinaron que de acá al fin de semana existe la posibilidad de trasladarte al Centro. Pasaríamos a la etapa que yo llamo "Dos", donde todas nuestras fuerzas van a estar concentradas en la rehabilitación. Por eso, preparate para ponerte las pilas, vamos a meternos de cabeza y hasta la médula en el trabajo intenso. Voy a estar bien cerca para ayudarte, no te preocupes.

Además, hablé con el doctor Antico y me contó que Olmos le dijo sobre vos: "Es una paciente ideal para hacernos quedar bien". Se muestra optimista con tu diagnóstico y me encantó el humor.

Fueron muchos los procesos por los que pasé al lado de Malena. Cuando empezó todo me invadió la incertidumbre, no terminaba de entender lo que sucedía. Luego, lo que siguió fue duro de atravesar porque corría peligro su vida a cada minuto. Una vez que los médicos confirmaron que había pasado lo peor, que Malena estaba fuera de peligro, lo que siguió fue su paulatino despertar. Y ese fue otro proceso que, como se dice comúnmente, "agarrate Catalina"; es decir, fue bien bravo.

Un día, mi Princesita abrió los ojos y se descubrió en un sanatorio, rodeada de máquinas, conectada a tubos y con la cabeza rapada. Descubrir que estaba pelada, que había desaparecido su melena larga hasta la cintura, fue el primer signo que a Malena le hizo pensar que algo grave le había pasado. A partir de ese momento, en el que empezó a tomar conciencia, jamás dejó de pedirme que la llevara a casa. Y esta nueva etapa fue muy dura para ella, porque apenas entendía lo que le estaba ocurriendo. Pero, por otro lado, lo peor había quedado atrás. Todos los que la rodeábamos estábamos felices. Se abría una nueva perspectiva del futuro.

13.15 HS

La terapeuta Carolina hace un rato largo que espera en tu habitación a que abras los ojos y vos estás, como la mejor de las bellas durmientes, sumergida en un sueño profundo. Voy a comer una ensalada y luego vuelvo.

Es un día muy especial el de hoy. Tengo planeado dar la cara a la prensa después de quince días. Quiero ser yo quien anuncia la noticia: estás a salvo, estamos felices. Merecen saberlo por mí. Siento que es algo que tengo que hacer yo, en gratitud a tanto amor, contención y buena energía que recibí de una multitud de gente de todo el país.

0.55 HS

MIÉRCOLES 26 DE FEBRERO

Ahora no tengo mucho tiempo para escribir, así que te hago un resumen de lo vivido. Esta vez, el parte médico se ofreció en el auditorio (es un aula que queda saliendo de la clínica, a media cuadra, por calle Belgrano). Me acompañaron los doctores Illescas (el director) un tipazo, De Simone (el subdirector), mi entrañable Grace y Maru. Atravesamos el *hall*, salimos a la calle y estallaron los *flashes*. Durante el trayecto, la gente en la calle decía: "Besos a Malena", "Se va a curar", "Rezo por ella", "Fuerza, María", en medio de un sinfín de cámaras que no paraban de gatillar. Llegamos al lugar. Por una escalera angosta y empinada accedimos al aula. Una mesa con agua, micrófonos y tres sillas. Enfrente, cámaras con luz roja. A mi izquierda, el doctor Illescas; a mi derecha, el doctor De Simone. Tomamos asiento y se hace una pausa larga. Mientras, miro los lentes de las cámaras sin poder ver a las personas. La periodista Laura Ubfal sostenía el micrófono. Cruzamos miradas de respeto entre las dos. Después de un lento abrir y cerrar los párpados arranqué.

Intenté ser breve, concreta en los agradecimientos que me interesaba mencionar y aceptar que había ocurrido "el milagro" que todos habíamos deseado y que en ese milagro hubo muchos partícipes, como los médicos, la energía joven de tus amigos y hermanos y la fuerza del amor de la gente común y de DIOS.

Dije que le habías sacado la lengua a la muerte, que la habías ignorado. Te juro que me temblaban hasta las neuronas (bah, la única). También dije que estaba feliz porque el 11 de marzo vamos a poder festejar tu cumpleaños número 20. Luego les pasé la palabra a los médicos, que dieron el parte técnico. Y así concluyó el asunto.

Fue el doctor Henry quien me guió de regreso hasta la clínica.

20.20 HS

Van a hacerte otra tomografía. Te acompaño. Volví al mismo lugar del día lunes 10 de febrero a las 6. Te llevan a la sala y evito aquel asiento donde recibí la noticia de la primera tomografía. Camino por el pasillo y prácticamente ruego por tu cabecita. "El estudio salió óptimo, ya no hay edema y el cerebro (que estaba desplazado) está centralizado", me dice el doctor De Simone.

Te angustiás mal, no parás de llorar hasta que llegás al cuarto de Terapia. Trato de explicarte que está todo más que bien. Te mimo y con cada caricia intento soplarte ganas de vivir. Pero reconozco que hoy yo también me siento emocionalmente colmada. Entran tus hermanos, Julián y Juan, y tu padre, y la angustia no cesa. De pronto gritás: "¡Quiero mi casa. Quiero mis cosas!". ¡Ay, mamita, qué estado de conciencia tenés en este momento!. Me hiela la sangre. Sé que por obra de este cariño tenaz que te transmitimos todos los que te queremos vas a poder salir adelante.

Ahora descansás. Entonces, subo a la habitación, tomo café y charlo un poco. Vuelvo a bajar. Llegó tu cena, pollo (cortado chiquito) y fideos mostacholes con fileto. Te despertamos con las enfermeras Nancy y Cinthia. Comienzo a darte de todo y respondés con buen apetito, cosa que todos te festejamos.

Después, te pregunto si querés ver a Fer. Decís que sí con la cabeza y la hago bajar. ¡Qué emoción te provoca volver a ver una cara amada! La abrazás con tus dos brazos, la besás montones de veces y las lágrimas te brotan una tras otra y puedo ver que son gigantes. Sí, tus lágrimas son enormes de tamaño, pero también tienen peso y están cargadas de mucha sal. Fer te da el postre: helado de dulce de leche. Y charla con vos. Al final te quedás dormida, agotada de tantas emociones juntas.

Subimos a la habitación. Fernanda le cuenta a Maru el encuentro y *la Negra* llora a mares como si ella lo estuviera viviendo en ese momento. Fer está tranquila porque al verte pudo sacarse los fantasmas que tenía. Comenta que cuando entró a tu habitación pensó que iba a quebrarse, pero al ver que eras "su Malena", "su beba", la que ella reconocía (pese a que ya no tenés el pelo largo) se hizo fuerte. Creo que eso es un poco lo que nos pasa a todos.

Te cuento que Mauro se venía haciendo el *machazo*, pero cuando subí la escalera con Fer logré verlo sentado en el último escalón y llorando, en plena crisis. Otro que se aflojó.

La letra me sale desprolija, porque escribo en una posición poco usual. Tengo un cuaderno sobre la cabecera izquierda de tu cama, haciendo equilibro para que no se me patine hacia tu hombro. Mientras mi mano izquierda está agarrada a la tuya, porque sufriste otra crisis más y te despertaste. Te pregunto: "¿Soñaste?". Mientras llorás, preguntás: "¿Por qué?". Te explico: "No hay que detenerse en el porqué, eso puede estancarnos. Es hora de avanzar. Yo también me lo pregunté, pero entendí que si me quedaba dando vueltas alrededor de esa pregunta sin respuesta no iba a poder ayudarte". Siento que cuando te hablo logro transmitirte fuerza. Entonces hablo hablo hablo. Y también te escribo.

Hoy mientras todos festejan porque abriste los ojos y te comunicás, vos tenés una bronca incontenible.

Sentís que se te cayó el mundo, no te explicás por qué pudo pasarte algo así. Por eso, quiero contagiarte un poco de esta euforia que tenemos por verte viva, después de que nos advirtieran que había bajas probabilidades de que te salvaras.

Festejamos que estás bien, que la peleaste tan duro que ahora estás de vuelta con nosotros.

Y sé que mientras a nosotros nos invade una felicidad inmensa vos apenas entendés lo que te pasa. Los pensamientos se te amontonan, la tristeza te supera y el enojo te paraliza. Pero yo te voy a inyectar todas mis fuerzas para lo que se viene. Por más que hoy te invada la bronca, ahora más que nunca tenés que sacar ese gran valor y la enorme fuerza de voluntad para salir adelante. Voy a estar al lado tuyo para guiarte.

La enfermera me avisa que te quedaste dormida. Recién ahí paro de escribir. Vuelvo a garabatear el cuaderno, de pie frente a vos, espiándote por encima de los anteojos. No quiero dejar de escribir ni de controlar que estés bien, que no te falte nada. Porque, por estos días, necesitás más que nunca que todos estemos cerca tuyo para contenerte y darte energías.

Ya me advirtió el doctor Rubén Illescas, director del Dupuytrén, que lo que nos espera es una evolución larga y tediosa y que vas a requerir un seguimiento muy cercano. No te preocupes, mi amor, aquí estamos los médicos, tu familia y esta tribu divina que no se despega de tu lado.

¡Qué día tan intenso! Mi mano hiperkinética no para de escribir. Estoy inquieta: me siento, me paro. Quiero estar al lado tuyo por si pedís por mí. Ahora me traslado a donde están tus pies y uso la cama como escritorio para apoyar el cuaderno. Voy como los sapitos, a los saltos de piedra en piedra.

Hoy pasamos ratos difíciles. Estás llena de preguntas, de angustia, apenas entendés lo que te toca vivir. Tuve que repetirte una y mil veces que te estoy diciendo la verdad. Nunca te miento, necesito que me creas cuando te digo que estamos muy cerca de salir de esta y que Dios no te abandonó nunca. Yo sé que es difícil de entender, hasta yo misma tengo momentos en que tiraría cascotes a los vidrios, pero para muchos hay una vida antes de lo que le pasó a Malena y otra muy distinta después de lo que le pasó a Malena.

Esta experiencia que nos impuso la vida me está sirviendo para examinar mi paso por este mundo. El tiempo transcurre lento. Ya pasaron quince días desde el accidente, pero se hicieron eternos. Parecieron varios meses. Lo peor ya lo atravesamos. Y lo que viene no es fácil, y aunque ya estemos cansadas no vamos a bajar los brazos. Hay que pelearla, seguir para adelante, de nada sirve sentarse a esperar. No hay que dejarse vencer por la bronca, la tristeza o el cansancio. Por eso, voy a empeñarme, a partir de ahora, en pasarte toda la energía, salud y voluntad que pueda. Quiero demostrarte que tu despertar fue una victoria sobre la muerte. Y en este nuevo comienzo uno aprende a disfrutar la vida de manera más intensa. Ya no somos las mismas.

CAPÍTULO 11

❋ El azar ❋

Cuestiones del azar. Las enfermedades, a veces, entran en la vida de uno sin que exista la posibilidad de impedirlo. El mundo propio se agrieta, tambalea y va camino a desmoronarse. Uno no para de preguntarse "¿qué hice mal?", "¿por qué pasa esto?", "¿hubiéramos podido evitarlo?". En esos momentos, hay que reunir todas las fuerzas internas, y las externas que nos quieran regalar, para lograr la recuperación. Jamás hay que "tirar la toalla" y rendirse ante esos interrogantes que no tienen respuesta.

" Grave con pronóstico reservado", decía el parte médico. Y yo me desesperé. Por medio de un estudio (angiografía digital de los vasos cerebrales), se detectó la causa de todo lo que sufrió Malena: una malformación arteriovenosa había provocado el sangrado. En su caso era una anomalía de nacimiento. "Este tipo de enfermedades son congénitas y se forman durante la vida embrionaria —detalló el doctor De Simone—. Mucha gente que va caminando por la calle seguramente tiene malformaciones arteriovenosas en el cerebro y nunca le molestan en su vida".

Estaba claro que Malena podría haber vivido con esta malformación sin que nos enterásemos. O que se revelara su enfermedad en cualquier momento de su vida. Y le tocó a los 19 años, apenas. El accidente irrumpió en un momento clave: estaba abandonando la adolescencia para ingresar a la vida adulta. Joven, sana, llena de energía.

Nadie podía imaginar que de manera tan inesperada quedaran truncados sus proyectos, su futuro hasta incluso su existencia. Era demasiado el dolor.

"La familia está destruida. Imagínense que ayer a la noche su hija estaba bien y hoy está en terapia intensiva y peleando por su vida", sintetizó De Simone frente a los medios de comunicación. Esa idea me quedó dando vueltas mucho tiempo: de la noche a la mañana la propia realidad, todo lo que uno creía seguro, puede desbaratarse. Y nada se podría haber hecho para frenar ese aluvión.

No había forma de explicar lo sucedido. Y tampoco se sabía si Malena seguiría con vida. Los médicos advertían que, estadísticamente, el tipo de casos con la gravedad que presentaba ella tenían una mortalidad cercana al 80 por ciento. La estadística no es un número formado por la experiencia previa y nadie sabe en qué lugar va a caer cada paciente. Obviamente los pacientes jóvenes tienen más posibilidades de tolerar este tipo de patología. Pero nadie podía decirnos en qué porcentaje de la estadística caería mi Princesa.

Números fríos, probabilidades, pronósticos era la única información que me daban. Ninguna respuesta a los "¿por qué?" que ametrallaban mi cabeza. Suponer que se puede hacer frente a semejante situación fortuita aplicando fórmulas fijas y reglas simplistas es mostrarse ciego a la realidad. Los médicos no son poseedores de secretos ni astrólogos con la bola mágica y no nos querían hacer falsas promesas. Nadie sabía qué podía pasar. Los pacientes no son meras réplicas de un caso modelo, son casos individuales. Y había que ver cómo sería la evolución, reacciones y tendencias individuales de Malena.

Una vez que la enfermedad se nos vino encima, de manera tan arbitraria y sin razón, lo que siguió fue pelear con todas nuestras fuerzas para salvarle la vida. Y ella también la luchó con todo.

Por eso, no bien le sacaron el respirador artificial y empezó a arreglárselas por sus propios medios, también yo empecé a respirar de otra manera: con un poco más de alivio y confianza.

Lo cierto es que cuando despertó nadie pudo darle razones.

Ninguno pudo explicar por qué le había pasado todo eso. Silencio. Solo consuelo, contención y mucho amor.

Pero quizá porque fuese tan inexplicable todo y tan injusto, los días posteriores a salir del coma farmacológico fueron muy difíciles. Malena no paraba de tener arranques de locura. Llantos, ganas de irse de la clínica, furia. Tenía mucha bronca adentro. Sentía que se había cometido una injusticia con ella.

No le gustaba verse postrada en la cama de un sanatorio.

Malena no aceptaba la enfermedad y menos que la trataran como enferma. Era una adolescente que manifestaba su rebeldía.

Con solo 19 años, su gran pregunta era "¿por qué me pasó?". Eso la enojaba profundamente.

Una vez, me confesó que por esos días había una idea que le daba vueltas y vueltas en la cabeza: por qué justo a ella le había tocado sufrir así.

"Soy una buena persona, no le hice mal a nadie, trato de ser generosa con los demás, no puedo entender por qué a mí", me dijo llena de rabia.

Con el tiempo, entendimos que la indignación no nos iba a llevar a ningún buen lugar. Que era el momento de actuar y no de quedarse en medio de lamentos y preguntando "por qué, por qué". Esas preguntas no tenían respuestas, pero había mucho para hacer. La íbamos a pelear.

2.02 HS

MIÉRCOLES 26 DE FEBRERO

Arrancamos con energías renovadas este día. Otro más dentro del sanatorio, pero ya con mejor cara y optimismo. El doctor Lisandro ve tu diagnóstico y siente que la recuperación va a ser rápida. Bueno, hijita, la seguiremos peleando. Yo no conozco otra para alcanzar el éxito.

Ahora que ya recuperaste tu estado de conciencia lo que sigue es unirnos todavía más para atravesar lo que falta, que ya es poco, Malena.

9.04 HS

Desayunaste vainillas y jugo de naranja. Cuando entro, me recibís con un llanto. Vuelvo a repetirte que estamos más cerca de estar más que bien. Te chusmeo que ayer operaron a Pablo, de Mambrú, por un problema en su apéndice y que vos tendrías que mandarle un saludo a él. Te reís con la sonrisa pícara. Al oído, bien en secreto, te cuento que en dos o tres días nos vamos a una quinta con verde, aire puro y pajaritos. De pronto, la noticia te pone supereufórica. Y lo cierto es que acabo de darte una verdad a medias. Prefiero ahorrarte algunos detalles. Apenas si podés asimilar todo lo que te está pasando. Todavía no es momento de sobrecargarte con información. Por eso evito decirte que a ese lugar lindo a donde te vamos a llevar es Fleni, un centro de rehabilitación en el que vas a quedar internada para que puedan trabajar especialistas con vos y puedas recuperarte del todo.

La idea de salir del sanatorio te provoca una alegría enorme. Tenés un humor que levanta a un muerto. Repartís sonrisas y besos a cada médico que entra. Horacio, mi terapeuta, dice que la euforia no es buena.

12.00 HS

Ahora estás en plena clase de kinesiología con Gaby. Recorre tu cuerpo obligándolo a moverse, empieza por los dedos de los pies, uno a uno, y sigue hacia arriba, con lentitud y fuerza.

El doctor Henry dice que es posible que nos vayamos mañana. Y como la fecha está más cerca de lo que imaginaba, empiezo a preparar tu ánimo. Todo el tiempo te digo que en esa quinta vamos a tener que hacer mucho ejercicio. Mientras tanto, me digo a mí misma que voy a tratar de dejar de fumar. Por lo menos, adentro de tu habitación no voy a poder prender ningún cigarrillo.

14.00 HS

Fran Brisco me pasó a buscar. Estamos camino a Fleni de Escobar. Vamos a conocer el segundo lugar que nos va a amparar y dar toda la energía necesaria para superar todo esto.

Ya estamos en el *hall* del instituto esperando a Josefina Viale, quien nos va a recibir. Te cuento que el lugar es espectacular. Lindo, cálido y, sobre todo, contenedor y positivo. El horario de visitas es de 10 a 20. Hay una sala de espera por si vos estás en sesión y tienen que aguardar a que salgas. Vamos a organizar una lista de visita de adolescentes y adultos que dejaremos en la entrada. Obviamente Carolina y Horacio van a conectarse con los terapeutas del instituto.

En líneas generales, este lugar nos espera con las puertas abiertas. Solo nos queda trabajar y sonreír.

17.00 HS

Por el lugar donde se desarrolló el hematoma en tu cabecita había que esperar a ver si te quedaba algún daño neurológico posterior. ¡Ay, qué nervios me agarraron cuando vino a revisarte el doctor Rey, neurólogo del equipo del Dupuytrén!. Presencié todo el examen con los médicos.

Primero, te indicó levantar brazos y piernas, y lo hiciste. Después te pidió juntar el pulgar con el resto de los dedos. Unir el dedo gordo con el meñique implica usar la motricidad fina, y con gran asombro y alegría nuestra cumpliste el ejercicio con éxito.

Tu visión periférica del ojo izquierdo que estaba reducida se amplió. El ejercicio que te hicieron para probar que habías mejorado consistió en hacerte cerrar los ojos, ponerte un elemento (en este caso el neurólogo utilizó una cucharita) al costado del ojo, dar la orden de abrirlos y que pudieras verlo. Lo hiciste, y diste señales de que veías la cucharita extendiendo tu mano para el lado que estaba el objeto. Después, el médico te dibujó una cara en un papel y vos señalaste, a su pedido, dónde estaban los ojos. Luego dibujó otra cara pero sin boca y te pidió que con la lapicera se la pusieras.

Siguiente ejercicio: Rey escribió en un papel la palabra "mamá" y preguntó:

"¿Qué dice acá?".

"Mamá", dijiste con una sonrisa pícara. Y en ese momento, como no podía ser de otra manera, se me cayó la baba.

Por último, el médico mostró una revista y te pidió que leyeras lo que te señalaba. "El verano", contestaste. Y contestaste bien.

Todo demuestra que estamos ante un milagro: evolucionás a pasos agigantados cuando apenas pasaron horas del duelo en el que te enfrentaste con la "señora Muerte". Después de haber transitado por tantos momentos de incertidumbre siento un alivio y una libertad interna.

Entra Carolina, tu terapeuta, para hablar con vos. Salgo. Estuvo un rato largo en tu habitación, y cuando salió de verte exclamó: "¡Estoy feliz!". Y lo habrá repetido más o menos 84 veces.

Hoy, día número 16 desde tu internación, se presentó maravilloso e inexplicable. ¡Estamos tan felices!

En ese momento, a Malena le hacía bien estar con gente. Aunque de manera gradual, iban entrando los amigos para charlar con ella. Había que hablarle con tranquilidad para que pudiera entender y recibiera la contención que queríamos transmitirle. Porque no le servía que estuviésemos a su lado si no nos adaptábamos a ella. Teníamos que abandonar el ritmo alocado que solemos llevar encima. El tiempo que imponía Malena era otro. Era importante escuchar que nos marcaba el compás. Y cada uno, desde su lugar, empezó a sacar la *pata* del acelerador y a hablar con otros tiempos, con otra madurez. Sobre todo, su tribu. A los 19 años los chicos son verborrágicos, y para hablar con Malena tenían que saber que debían elaborar las ideas, pensar bien antes de soltar lo que querían decirle. Adquirieron calma para que no les salieran los conceptos desordenados, como a veces pasa en esa edad, y pudieran comunicarse con su amiga.

Fue un cachetazo inesperado para todos, y para los chicos también. Creo que toda la tribu maduró.

9.40 HS

JUEVES 27 DE FEBRERO

Desperté a las 7 y tenía el desayuno delante de mí. Me llamaron para preguntarme si podía bajar a hacerte compañía, porque estabas angustiada. Me lancé por la escalera.

"Más rápido que un bombero", me dijo la enfermera no bien me vio entrar a la habitación.

Corrí a abrazarte. Estuvimos así durante mucho tiempo, y nos dimos cantidad de besos. "Te amo mucho", me dijiste con ojos llenos de lágrimas. "Yo, más", repliqué.

Ya calmada, desayunaste de maravillas. Miramos tus fotos y te emocionó una en particular: estabas con Mauro. "Es muy bueno él, lo quiero mucho", dijiste señalándolo. Entonces, te conté que en estos días habías logrado reunir a Juan Martín, Mauro y Rama. Todos tus amores y ex amores. Vos te matabas de la risa de solo pensar en la imagen de ellos tres juntos.

22.30 HS

Recién te hicieron una placa de tórax. Estamos preparando la salida. Finalmente, vamos a dejar la clínica. Otro lugar nos espera.

Lo que se necesitaba era acción. Malena tenía que empezar a trabajar para recuperarse de las secuelas. No quería pasar del Dupuytrén a una rehabilitación ambulatoria. Me habían dicho que eso podía estirar bastante los plazos de recuperación. Preferí no ir a casa, para no perder tiempo. Yo le decía: "Vamos a ir a esta quinta, donde vas a tener que trabajar y ser fuerte". Intentaba inyectarle voluntad.

Pero ella no quería saber nada con ir a otro centro de salud. Deseaba dormir en su cama. Me rogaba con lágrimas que la llevara a casa. Y yo me negaba a concederle el pedido. Frente a Malena me mostraba firme en la decisión, después lloraba a escondidas, porque era muy difícil no consentirla en ese momento. Sabía que ir a Fleni era lo mejor, y así y todo me dolía que eso la angustiara tanto. Fue una decisión muy dura que compartimos las dos. Antes, yo estaba sola con los cuadernos. Y a partir del momento en que despertó empezamos a vivir todas las cosas juntas.

Y así como Malena sufría bajones, también tenía sus *subidones*. Conservo una imagen: cuando nos fuimos del Dupuytrén rumbo a Fleni en ambulancia, Malena saludó toda efusiva a sus amigos desde la camilla. Les tiraba besos en el aire con una sonrisa de oreja a oreja. De a poco, tomó conciencia y aceptó la decisión. Algo la iluminó: su propia voluntad.

Las enfermedades aparecen de improviso, pero no hay que dejarse vencer por ese revés. Es necesario poner mucho de uno para salir adelante. Eso le pasó a Malena. De pronto se dio cuenta de que solo dependía de ella recuperarse.

El primer paso de la rehabilitación consistía en que pudiese entender lo que le estaba pasando, física y emocionalmente. Después empezar a aceptarlo y ver que se podía solucionar.

Y desde ahí empezar a sacar afuera su propia fuerza.

CAPÍTULO 12

❊ La rehabilitación ❊

Pasó lo peor pero la lucha sigue. Malena iba a tener
que trabajar intensamente para recuperarse
de la enfermedad. Renacer, de alguna manera.
Y restaurar su salud y el contacto con el mundo.
Ella volvió en sí, se despertó, recuperó la conciencia,
pero no era la de antes…

Cuando salió de la Terapia intensiva parecía un escarbadiente, peso pluma. Estaba en silla de ruedas, no podía caminar y apenas se mantenía parada con un andador. Además, una de las secuelas que le habían detectado era afasia. Es un trastorno del habla que surge como resultado del daño en las porciones del cerebro que son responsables del lenguaje y se manifiesta con el deterioro de la expresión y comprensión del idioma y también de la lectura y escritura. Tenía que recuperar el vocabulario. Estaba todo el tiempo preguntando "¿qué es esto?". Las palabras no le salían y si le hablabas muy rápido no entendía. Si todo lo del comienzo fue duro, lo que seguía también se avecinaba complicado.

De eso se iba dando cuenta ella. Para ese momento, ya había tomado conciencia de todo lo que le ocurría. Al principio, la situación la abrumaba y se sentía sin fuerzas. "No voy a poder", decía en medio de llantos. El estallido de sangre que había sufrido ya estaba operado y reabsorbido, pero le había quedado un gran matete en la cabeza. Le costaba verse así y, al mismo tiempo, sabía que la única manera de salir adelante era afrontar todo lo que le pasaba. No por mirar hacia otro lado vamos a hacer desaparecer el problema.

La curación solo puede realizarse en la mente, y Malena tenía que empezar a ver las cosas desde otra perspectiva.

Además de los medicamentos que dan los médicos, la rehabilitación que proporcionan los profesionales, también debía recurrir a los propios recursos. Me dirán que el neurólogo Oliver Sacks, aquel del libro *Despertares*, los llama "poderes salutíferos". Tienen unos efectos importantísimos en la recuperación y, en gran medida, dependen de la voluntad de cada paciente.

7.45 HS  JUEVES 27 DE FEBRERO

Estrenamos nueva casa. Dormiste poco, pero hay mucha pila y energía para cuando den inicio a "la largada". Algo así como un curso intensivo para que puedas retomar tu vida normal. Estamos muy ansiosas las dos. Creo que vos más que yo, porque hubieses deseado ir a casa, antes que volver a quedar internada en otro lugar. Sabés que este paso es necesario y definitivo, por eso te entregás. Otra vez, das muestras de tener una fuerza de voluntad que me sorprende.

La luz que entra en la habitación es fantástica y desde tus ventanas se ve el verde del campo.

Te están sacando sangre, hija. Avisaron que lo primero que te van a hacer es una evolución de "deglutación". Quieren ver cómo te pasa la comida. Llegó la fonoaudióloga, Soledad Melián, para poner en práctica este test. Te da yogur y escucha tu garganta con el estetoscopio para confirmar que todo va por el camino correcto. Luego hace lo mismo con un jugo de naranja, después sigue con una feta de pan lactal untada con queso. Examinás los bocados que te dan para que tragues y ponés cara de "¿por qué no me dan comida de verdad?".

Después, vienen otros dos fonaudiólogos a trabajar con vos. Quieren hacer una evaluación del lenguaje. El examen consiste en una serie de ejercicios de lectura, armado de oraciones, unir foto con palabra, gesticular. En el medio de todo esto, te agarran ataques de risa, como si estuvieras pensando "qué tonta me siento".

Acabo de tener una reunión con la doctora Alicia, que es la psicóloga del lugar. Le hablé de tu historia, de cómo eras antes de lo ocurrido.

Recién vinieron a pesarte: 59,75 kilos con silla de ruedas y 42,75 kilos sin silla. Qué flaca que estás, mi amor.

Más tarde, te toca terapia física con Oscar. Empezaste la sesión muy tensa, como aterrorizada. Pero poco a poco te calmaste.

Llorás todo el tiempo, pero ¡caminás! Después de 17 días de nada, de inmovilidad absoluta, de pasarte las horas hundida en una cama de sanatorio estás dando un paso atrás de otro.

Por suerte, no hay indicios de que las secuelas que tenés no puedan solucionarse. Y dicen que la rehabilitación hace milagros. Pero hay que trabajar duro y tener paciencia.

Ahora estoy en la cafetería del *hall* central. Me vine para cortar la "mamitis" que tenés. De pronto, en el medio de los ejercicios, hiciste un gran berrinche y te negabas a trabajar. Es lógico que apenas entiendas todo lo que está sucediendo. A veces, no sé cómo calmarte. Tiempo, hija, hace falta tiempo para que entiendas que vas a estar bien.

Fumo el cuarto cigarrillo del día en el patio interno. Voy a buscarte al salón de usos múltiples, el SUM le dicen acá, y te veo caminar agarrada de las paralelas. Cada vez falta menos, pienso. Paso a paso.

Me avisan que terminó la tarea por hoy. Dormís plácidamente tu siesta antes de la merienda.

Hiciste pis y te lavaste las manos. Qué loco las pequeñas cosas que uno festeja en momentos como este. Después de verte tanto tiempo entubada, sin conciencia, ahora te veo renacer.

8.30 HS

SÁBADO 1º DE MARZO

Voy junto con vos a que te hagan unas radiografías. Cuatro placas. Salieron bien y por suerte no hubo que repetirlas.

11.15

Empieza la sesión de "terapia física". Mientras la kinesióloga Mercedes intenta hacerte trabajar, llorás, te angustiás. No va a ser fácil esta etapa, Princesa, pero tenemos refuerzos. La familia y todos tus amigos siguen acompañándonos como el primer día. Nadie baja los brazos.

Caminaste con andador. Después jugamos juntas a la pelota, tirándola a las manos de una y de la otra. Pero lo hacés con bronca. No hay nada que pueda sacarte el enojo, la tristeza, las lágrimas constantes. Estás convertida en una nena grande, con berrinches y todo. Sé que a medida que vayas viendo tus propios avances, vas a recuperar la alegría.

14.00 HS

Entró a tu habitación la terapeuta Hilda. Charlaron un rato largo y vos estuviste todo el tiempo de bastante mal humor. Preguntó con quién vivías y contestaste que con la abuela. A mí me agarró un nudo en la garganta. Los recuerdos se te mezclan y, evidentemente, te olvidaste por un rato de que la abuela ya no está con nosotros.

Te cuento que abriste la tapa del CD de Rama y le diste un beso con los ojos llenos de lágrimas.

De pronto, me decís:

—Quiero un Nesquik.

—¿Qué es lo que querés? —te consulto porque me resulta exótico el pedido. Desde tu infancia que no tomás leche chocolatada.

—Un Nesquik —insistís, a la vez que me hacés con los dedos el gesto de llevar un cigarrillo a la boca. Nos miramos con Celeste y Rama. Ahí nomás puse cara de que habías errado el concepto y las dos nos reímos. No siempre te tomás con gracia estas situaciones, a veces te agarra el malhumor. Pero en esta ocasión nos contagiamos las carcajadas.

16.00

Llegó la hora de terapia ocupacional con Milagros. Salgo porque entrás en crisis. Fumo un cigarrillo en el patio interno con Julio Antico, el neurólogo de Fleni del barrio de Belgrano, y papá de Florencia, amiga tuya del secundario. Julio es quien va a realizar la operación (llamada Gamma Knife) que cure definitivamente tu malformación.

Vuelvo a la habitación y te veo sentada en la silla de ruedas y con cara seria. "No voy a llegar, no pienso llegar", decís con enojo. Te ponés cabeza dura. Intento darte ánimo. Que tenés una fuerza de voluntad increíble, que en este tiempo cortísimo son enormes los avances que hiciste, que pronto vas a volver a ser la Malena de siempre. Te digo eso y busco transmitirte confianza en vos misma. Yo confío en vos, hija.

Sé que juntas vamos a lograr que te mejores por completo.

En Fleni las rutinas se repiten con precisión; es el reino del trabajo duro, aquí se viene a recuperarse, así lo comprendemos todos a quienes nos toca pasar por acá, ya sea internados o como compañía. El trabajo es intenso. Nos dan un Organigrama de actividades. No tenés ni un minuto libre. De lunes a viernes te sirven a las 8 el desayuno; a las 9 tenés neurofoniatría, donde el objetivo es que recuperes el vocabulario; a las 10 son las sesiones de neuropsicología; una hora después te llevan para hacerte mover el esqueleto con terapia física, tenés que ejercitar los músculos, entumecidos después de tantos días de inactividad; a las 12 son las sesiones de terapia ocupacional, en las que de a poco te ayudan a familiarizarte con las tareas cotidianas; a las 13 sirven el almuerzo y a la tarde se repite toda la ronda de actividades: neurofoniatría, neuropsicología, terapia física y terapia ocupacional. Cuando dan las 17 aparece la merecida merienda. Después de semejante actividad es lógico que termines agotada en la cama. El trabajo es tan intensivo que, a más tardar, a las 21 ya estás durmiendo.

Con el correr de los días en Fleni, de a poco, le fuimos contando la verdad a Malena. Hablamos del derrame, de las secuelas y de que con el trabajo y su fuerza de voluntad iba a mejorar del todo.

Los primeros tres días Malena vivió sumergida en la angustia. No podía verse en silla de ruedas, dependiendo de un andador para caminar y con dificultades serias para expresarse. Todo la sensibilizaba y por cualquier cosa se enojaba o lloraba. Como los niños. Armaba grandes berrinches si uno no accedía a sus exigencias. A los rompecabezas los revoleaba por el aire cuando se le complicaba la resolución. "No quiero esto", se quejaba llena de lágrimas. Hacelo, dale, le decía yo. A toda costa buscaba que entrara en razón.

Inició la etapa de rehabilitación muy aniñada, hipersensible y con la conciencia a medias.

"Yo no era así", me dijo cuando ingresó a la clínica. Apenas se reconocía a sí misma. Y tuvo que arrancar todo desde cero: aprender de nuevo las palabras, dar los primeros pasos, ejercitar el pensamiento. Fue un arduo proceso.

Lo que más sufría era no poder expresarse bien. No le entendías lo que decía y se enojaba. Las dificultades que tenía para comunicarse le provocaban mucha impotencia. No podía imaginar cómo iba a convivir en el futuro con esa limitación. Ella era una chica muy estudiosa, gran lectora y solía anotarse en cursos de todo tipo. Por eso, lo que más le costó fue aceptar que tenía problemas para expresarse.

Tuvo que vencer la resistencia inicial y la bronca y comenzó a tratar de entender la situación, a progresar y a sentirse fuerte. Buceó dentro de ella misma. Empezó a trabajar en serio y dejó de tener tanta *mamitis* (todo el tiempo me reclamaba). "No me voy a dejar vencer", se propuso. Fueron tremendas sus ganas de salir adelante. Todo ese proceso fue muy doloroso, lo atravesó con lágrimas y mucha garra.

Durante la rehabilitación los sentimientos se mezclaban, uno sentía que había pasado un huracán y había que volver a construir. Por eso, cada avance, por pequeño que fuese, resultaba un gran logro. Cuando Malena empezó a caminar suelta, ya sin andador, la miraba con su paso lento y para mí era Valeria Mazza, la veía como una top arriba de la pasarela. Y ella me sonreía orgullosa como diciendo ¿ves mamá cómo estoy pudiendo?, lo estoy logrando y estoy mejor que ayer y mejor que hace una semana atrás". Había una complicidad tremenda entre las dos. Eran los primeros pasos, como los chicos. Que se caen, se levantan y vuelven a caminar. Y al levantarse están fortalecidos.

Al mismo tiempo que dejaba el andador, recuperaba su vocabulario. En una oportunidad, entro a la habitación y recién salían de ver a Malena los doctores Marcos Rey, Lisandro Olmos y Ramón Leiguarda (presidente de Fleni) que iba todas las semanas para verificar los avances de los pacientes. "Decile que eran patitos", me ordena Malena toda efusiva. Apenas entendí de qué se trataba la misión que me encomendaba, pero deduje que era importante para ella y corrí por los pasillos en busca del doctor Leiguarda. Terminé por encontrarlo en la cafetería. "Me manda Malena para que te diga 'patitos'", lo encaré. Él miró el dibujo de su corbata y sonrió de oreja a oreja. Y me contagió su alegría.

A medida que iba ganando confianza en sí misma eran mayores las mejorías. Aunque, a veces, había que frenarla porque pensaba que ya podía hacer de todo. Se ponía en actitud "Súper Male" y no se daba cuenta de que tenía que darse tiempo para ciertas cosas. Quería levantarse sola de la cama cuando recién había dado los primeros pasos, y una vez terminó por caerse en el baño de la habitación. Eran las 3 de la madrugada y la encontré tirada en un rincón y en pleno llanto. La levanté, la acosté y reubiqué mi cama pegada a la de ella. La próxima vez iba a tener que pasar por encima mío. A veces, había que tomar ese tipo de medidas.

Llegó el 11 de marzo. Malena cumplía 20 años, y aún no tenía autorización para salir. Lejos de angustiarnos por estar todavía *adentro*, entendimos que había que festejar. Vinieron los hermanos, el papá, los amigos más cercanos, los terapeutas, Horacio y Carolina. Preparamos una sala con globos y guirnaldas, una mesa central con comida salada y dulce, y la infaltable torta con sus velitas. Malena recibió muchos regalos, entre los que se destacó un pato de peluche que trajo el queridísimo amigo Fabián Mazzei. Fue un momento compartido de gran intensidad y alegría, que ayudó a calmar la ansiedad que producía no saber cuándo llegaría el alta.

Después de casi un mes de internación en Fleni, Malena pudo volver a casa. Pero la rehabilitación no se detuvo: pasó a ser ambulatoria, yendo todos los días a Fleni de Capital, donde se ejercitaba con Soledad, la fonaudióloga. Paulatinamente, las sesiones se fueron espaciando: cuatro veces por semana, luego tres, hasta terminar asistiendo dos veces por semana. Un día Soledad le dijo: "Mirá Male, hasta acá llegamos. Ahora tenés todas las herramientas para volver a manejarte en el mundo por vos misma". Male asintió. Sabía que si se le presentaba alguna dificultad, iba a poder hacerse entender.

Conocer sus propios límites era parte de la recuperación física, pero sobre todo emocional. Entonces, se relajó.

CAPÍTULO 13

❊ El vínculo se estrecha ❊
(un nuevo comienzo)

Con tu recuperación da la sensación de que el mundo vuelve a ser algo lleno de vida. Encuentro motivos de interés, sorpresa y diversión como si acabara de salir de una cárcel. Ya no tengo la sensación de que el mundo se detuvo. Ahora la vida avanza.

Después de que, como dije, "le habías sacado la lengua a la muerte" aparecieron otros miedos, otros fantasmas: cómo iba a quedar Malena. Pero no bien despertó del coma empezó a recuperarse velozmente. Salió adelante porque es una *cabezadura* como la madre, porque pone garra, ganas y va tras el éxito.

La recuperación sucedió para las dos. De alguna manera, también yo renací. Al verla ponerse bien, comprendí lo resistente que es el cuerpo y cuánto se aferra a la vida. Sabía que pronto iba a volver a ser la chica alegre, autoexigente y graciosa de antes.

Atravesar una situación límite nos unió todavía más. Después de pasar por esa experiencia una nueva vida nos esperaba.

Y, sí. Estábamos muy mimetizadas Malena y yo. Incluso, para acercarme más a ella por ese entonces me corté el pelo bien corto. A ella la habían pelado para abrirle la cabeza y extrañaba mucho su melena larga. Entonces, para acompañarla en el crecimiento, me lo corté. Como un acto de amor.

Pasada la etapa de rehabilitación, que consistió en ponerse bien y caminar, y que fue muy dura, pasamos a la fase siguiente, la tercera y última: volver a la vida normal, desmimetizarnos un poco, cada una a su historia y a su vida.

Cuando ella empieza a despertarse en marzo, yo empiezo a despertar mi espíritu y mi corazón. Y luego de 28 días sin separarme de mi Princesa retomé el trabajo. Ella estaba internada todavía en Fleni y avanzaba a pasos agigantados. Decidí que ya era el momento para volver a escena. Tanto en *Costumbres argentinas* como en *Porteñas* desde el inicio del accidente me avisaron que estaban dispuestos a esperar mi regreso "el tiempo que fuera necesario". Por eso, cuando sentí que Malena ya estaba a salvo, trabajando para su recuperación y en un lugar, totalmente contenida, me reincorporé al trabajo, la televisión y el teatro me estaban esperando. Tuve que organizarme… las mañanas eran para acompañar a Malena en sus terapias, al mediodía picaba algo y ya partía en el auto (me lo había prestado Ideas del Sur) desde Escobar hacia capital para grabar los capítulos de *Costumbres argentinas* y de miércoles a domingo empalmaba con las funciones de *Porteñas* en el teatro La Plaza.

Pero el contacto permanente seguía: a cada rato llamaba para ver cómo estaba. Y lo cierto es que a Malena le costó afrontar los primeros días de distancia entre nosotras. Apenas yo salía de actuar en el teatro me empezaba a llamar: "¿Dónde estás, mamá?", me preguntaba. "Estoy manejando, yendo para allá", le decía, con la intención de calmarla. Pero, a veces, a los dos minutos volvía a sonar el celular: "¿Dónde estás?, ¿cuánto te falta para llegar?", volvía a interrogar. Le agarraban, cada tanto, ataques de *mamitis*. En medio de llantos gritaba: "¡Quiero a mi mamá, quiero a mi mamá!".

Había salido de un coma profundo. Tuvo que reaprender a comer, a hablar y a caminar por sus propios medios. Era como una nena y yo la consentía. Pero ya estaba mejor. Teníamos que cortar el cordón umbilical otra vez. No iba a alejarme de ella, sino a proporcionarnos más aire e independencia, algo que necesitábamos las dos.

Eran tiempos difíciles aquellos. Y siguieron convulsionados no bien nos fuimos de Fleni y volvimos a casa. Malena no hacía más que llorar y llorar. Los primeros días postinternación requirieron de mucha paciencia, esfuerzo y organización. A mi Princesa le tocaba la parte más difícil, pero yo iba a estar a su lado para ayudarla a que pudiera volver a tener una vida normal.

Lo más importante para la recuperación de cualquier persona enferma es tener a otros que lo ayuden a volver a relacionarse con el mundo. Recibir cariño, ánimo y fuerza de los que más lo quieren puede ser una tabla de salvación cuando surgen los problemas. Siempre es bueno tener una brújula capaz de hacer de guía en cuanto tenemos que navegar por un océano de dificultades. Ayudar para que otro mejore es una cuestión de amor.

En 2006 Malena estaba totalmente curada de su enfermedad, los especialistas nos aseguraban que no había porcentaje de peligro y ella ya tenía la disciplina de tomar su medicación. Debíamos dejar el departamento que alquilábamos y entonces, sentí que ya era hora de preguntarle si no quería vivir sola. De esa manera íbamos a poder crear un vínculo más independiente.

Que ella tuviera sus responsabilidades y empezara a manejarse sola me iba a permitir a mí no estar tan encima de ella. La idea era que empezara a vivir su vida y yo también volviera a dedicarme a la mía.

Después de hablarlo cada una con su terapeuta, convinimos que no era una mala idea.

Fue muy duro al principio, porque no quería invadirla pero, a la vez, trataba de estar presente en todo momento. Con el tiempo, me di cuenta de que nos vino muy bien tomar la decisión de vivir en casas separadas. Malena confirmó (para ella misma y para todos) que podía vivir sola. Empezamos a desarrollar una relación entre nosotras con menos simbiosis y, en cambio, con un tipo de vínculo más profundo.

Seguimos muy unidas. Hablamos todos los días, cuando llega de la facultad la llamo y le pregunto qué va a comer. Sabe que puede contar conmigo, pero ya no estamos pegoteadas. La hizo madurar saber que no necesitaba que la llevara de la mano para hacer esto o aquello. Todo ese proceso de despegue nos hizo muy bien a las dos. Nos ayudó a que cada una recuperara su vida.

Después de que pasamos lo peor, de alguna manera, nos reencontramos. Construimos un nuevo vínculo. No volvimos a tener la relación de antes del episodio, tampoco se repitió la "simbiosis" que mantuvimos durante la internación; en cambio, nos volvimos más compañeras. Estamos presentes permanentemente en la vida de la otra. Nos miramos mucho a los ojos, nos mimamos, nos besamos. Estamos para darnos contención, consejo, ayuda. Disponibles, aunque ya sin subordinarnos a la otra.

Así como nos reencontramos madre e hija, también Malena se reencontró consigo misma. Su terapia psicológica y la facultad funcionaron como un gran empuje para que volviera a relacionarse con el mundo. Hoy tiene la sensación de que es "una persona diferente", desde un punto de vista emocional, psicológico y espiritual. Esa es también la impresión que me da mientras la veo cómo se desenvuelve ahora por la vida.

El rumbo que se toma tiene mucho que ver con qué cosas le pasaron a uno. Atravesar una situación límite la llevó a Malena observar las cosas con mayor madurez. Cambió desde sus prioridades hasta los gustos al comer. Siente que se toma las cosas de manera más relajada. Incluso se replanteó su vocación, cambiando las ciencias políticas por la carrera de Diseño de interiores. Difícil que se preocupe o enoje por las pequeñas cosas y demás trivialidades. Revaloriza lo que le pasa desde otro lado, desde un punto de vista nuevo que le dio la experiencia.

Algo que también la ayudó a salir adelante fue tener totalmente asumido e incorporado todo lo que le había tocado atravesar. No le cuesta hablar de su enfermedad, ni rememorar aquellas épocas en las que estuvo internada y en rehabilitación. Y como tenía pocos recuerdos de sus días previos a Fleni, preguntó a todos los que conoce sobre cómo la habían visto en aquel momento: familiares, amigos e inclusive doctores y enfermeros que la atendieron. Repuso otras partes de la historia a través del diario que yo escribí. Desde el primer momento, tuve la intuición de que lo hice para ella, para ayudarla, para reconstruir todo lo ocurrido, cómo había sucedido, qué había pasado mientras estaba en coma, quiénes la habían acompañado.

Además de leer el diario, Malena cada tanto vuelve a

elaborar lo ocurrido con visitas a los centros de salud en los que estuvo internada. Cada tanto, se da una vuelta por el Dupuytrén y por Fleni para saludar a los médicos y a los enfermeros y recorre las habitaciones que la alojaron. De alguna manera, le reconforta conectarse hoy, ya recuperada, con esa parte de su pasado.

Cada una descubrió con el tiempo cuáles eran sus mejores influencias terapéuticas. A mí, el dolor no me cerró bien. Clínicas y médicos merecen todo mi respeto y agradecimiento, pero elijo no volver. A veces vivo momentos de furia. Sigo sintiendo que fue injusto todo esto que nos tocó vivir. Cuando hoy me agarro esos enojos, pienso que pese a lo terrible del caso, haberlo atravesado nos hizo personas más profundas.

Siento que hay un cambio muy grande que tuvo que ver con haber bajado al fondo del mar abruptamente y con las puntitas de los dedos dar el empujón y salir a flote. Y al asomar de nuevo la cabeza sobrevinieron los cambios.

Vivir situaciones límite te lleva a saber que hay cosas que uno no volvería a hacer y que hay otras que valorar de ahí en adelante. Después de lo que le pasó a Malena decidí no perder el tiempo, tejer una buena bufanda para alguien que querés, leer un libro, levantar la pata del acelerador, no salir corriendo a todos lados.

Antes siempre había urgencia, había que correr. Y, la verdad, me cansé de correr. Además del apuro, entre toma y toma, cuando no grabás, te agarra el mal humor. Yo soy un cohete. Entonces hago cosas para estar relajada, trato de poner el pie en el freno y transitar más tranquila. Tejo sueños, dejo que vuelen los pájaros de mi cabeza. Soñar despierta es desear.

La urgencia real ya la viví. Y las enfermedades nos hacen tomar conciencia de la fragilidad de nuestras vidas. No hay que perder el tiempo en tonterías, sí permitirse tomar un café con una amiga para charlar. Aprovechar el tiempo. Vivir el tiempo.

Experiencias así llenan a uno de sentimientos, fuerza y convicciones verdaderas.

Malena vivió muchas etapas de la enfermedad, todas muy duras, a la que no suelen verse expuestas —ni lo desean— la mayoría de las personas. Pero quien pasa por una experiencia así, llena de tanto sufrimiento, ya no puede volver a ser el mismo de antes. Se adquiere una profundidad y una riqueza humana, así como una conciencia de uno mismo y de la naturaleza de las cosas.

Ella sabe que su involuntario padecimiento no fue en vano si proporciona ayuda y enseñanza a otras personas, si nos llevan a comprender de manera más profunda la naturaleza del dolor, la atención médica y la curación.

Malena dio muestras de un valor extremo, sin caer en la desesperación. Quedó marcada para siempre por la experiencia. La volvió más profunda y hasta más alegre.

Nunca bajó los brazos: sabía que tenía todo un futuro por delante y miles de razones para vivir.

PRIMAVERA DE 2004

¡Feliz Día de la Primavera, Male! Hoy es un día para que abras tus pétalos, para que otro día pueda encontrarte el amor. Vos sos la mejor estación del año, la primavera de todos nosotros. Este 21 de septiembre tan nublado el sol se esconde entre las nubes, dentro de un cielo plomizo, solo aparece en tus labios cuando los haces sonreír y la habitación se llena de luz y no alcanzan los gorros, ni los anteojos más oscuros para evitar tanto encandilamiento. No dejes de sonreír. Te amo, yo más.

MV

EPÍLOGO

Mamú

Yo también me pregunté por qué a mí... En una de las tantas cartas que recibí cuando estaba en coma, una mujer decía que uno no se puede quedar en el *por qué*, si no que es mejor pensar en el *para qué*. ¡Tenía tanta razón! Ahora, cada día que pasa encuentro más explicaciones para entender *para qué* me ocurrió el derrame. Las cosas pasan por algo, pero también pasan *para* algo. Para ser más optimista, más paciente y observadora; para disfrutar del sol de la mañana, para dejar tanto frito y saborear la verdura y la fruta; para decidir cambiar de carrera y estudiar algo completamente diferente que me hace más feliz; para ser más tolerante y comprensiva con los demás, y conmigo misma. Para dejar de preocuparse por tonterías, como vos decís, y ocuparse de las cosas que realmente valen la pena. Creo... estoy segura de que si no hubiese tenido el derrame, nada de todo lo que vino después me habría sucedido. En general, solo en una situación límite tomamos conciencia de cuán vulnerable es el ser humano: hoy, estoy; mañana, ya no. Entonces uno quiere priorizar todo lo que no hizo y abandonar lo que estaba haciendo de modo automático porque quiere aprovechar cada momento de su vida, como si fuese el último.

Yo nunca me había detenido a pensar si la vida es corta o larga... Después del derrame, encontré otra manera de disfrutar la vida, sin pensar en su duración ni en su final. En todo caso, comencé a ocuparme para que el goce sea mayor, en duración e intensidad. Pasar una noche jugando a las cartas con Juli y Juan, mis hermanos; levantarme un sábado a las 11 con un sol radiante y quedarme en la terraza sentada bajo ese cielo turquesa; o disfrutar de una charla con mi amigo Piri, eso es tan gratificante que no se compara con nada... No por el ego de uno, sino porque estoy segura que Piri se sintió tan acompañado, como yo me sentí cuando tuve el derrame, cuando la bronca y la ira se apoderaban de mi cuerpo y mente, cuando me vi al espejo pelada y no me gustaba, cuando tuve que tomar decisiones importantes...

Mamú... gracias por estar siempre a mi lado, dándome fuerzas para seguir. Porque el pelo crece, la cicatriz se tapa, el habla se aprende y los kilitos de más, se bajan. Porque con tu amor incondicional me enseñaste que no había ningún motivo para no seguir. Y seguí, seguimos juntas tan unidas como antes, o más, compartiendo charlas, momentos, risas, llantos, miradas.

Ojalá que el alma no lo olvide, y lo recuerde de vez en cuando....

Malena

APÉNDICE

Información *urgente* sobre el ataque cerebral

E l ataque cerebral es la tercera causa de muerte y la primera de discapacidad. Se estima que en la Argentina ocurre un caso cada cuatro minutos. El 30 por ciento de estos pacientes muere durante el primer mes. A pesar de las cifras mencionadas, gran parte de la población desconoce las características más básicas del ataque cerebral.

Entre los años 2004 y 2006, la Sociedad Neurológica Argentina (SNA) obtuvo información sobre la enfermedad cerebrovascular en nuestro país recogida en forma ordenada y sistemática mediante el Registro Nacional de Accidentes Cerebrovasculares (ReNACer). En base a los resultados observados, surgió la iniciativa de crear el **Día Nacional del Ataque Cerebral (último miércoles de octubre)**, especialmente dedicado a educar a la comunidad sobre esta patología. La campaña de educación a la comunidad gira en torno de dos aspectos fundamentales: el conocimiento de los factores de riesgo para mejorar la prevención y los síntomas de presentación para la consulta precoz.

¿Qué es el ataque cerebral?

El ataque cerebral es una afección causada por la súbita

pérdida de flujo sanguíneo cerebral (isquémico) o por el sangrado (hemorrágico) dentro de la cabeza.

Cualquiera de las dos situaciones puede provocar que las neuronas se debiliten o mueran, ya que sin oxígeno las células nerviosas no pueden funcionar. Las partes del cuerpo controladas por las regiones del cerebro afectadas, consecuentemente, también dejan de funcionar.

Los efectos de un ataque cerebral son a menudo permanentes, ya que las células cerebrales muertas no se pueden reemplazar.

Afortunadamente, por medio del **reconocimiento temprano** de los signos de un ataque cerebral y la búsqueda inmediata de atención médica se pueden reducir considerablemente las posibilidades de muerte y discapacidad.

¿Cuáles son los síntomas de un ataque cerebral?

Los nuevos tratamientos solo funcionan si son aplicados dentro de las tres primeras horas de presentados los síntomas iniciales, entre los que se cuentan:

> Falta de sensación, debilidad o parálisis repentinas en la cara, el brazo o la pierna, especialmente en un lado del cuerpo. Se trata del síntoma más frecuente.

> Confusión súbita, problemas repentinos para hablar o entender.

> Problemas repentinos para ver con uno o los dos ojos.
> Dificultades para caminar, mareo, vértigo, pérdida del equilibrio o falta de coordinación.
> Dolor de cabeza súbito y de máxima intensidad.

Los cuadros neurológicos cuyos síntomas duran solo unos pocos minutos se denominan ataques isquémicos transitorios y constituyen una emergencia cerebrovascular. **Estos eventos son señales de alarma que nos están avisando que en las próximas horas o días puede ocurrir un ataque cerebral grave.** Por este motivo recomendamos consultar inmediatamente también cuando los síntomas han durado poco tiempo y han desaparecido por completo.

¿Qué factores de riesgo existen?

Existen dos tipos de factores de riesgo para el ataque cerebral: controlables y no controlables. Los **controlables** son bastante conocidos por la población, debido a que son los mismos que para la enfermedad coronaria y el infarto cardíaco:

> *Hipertensión arterial.* Es el factor de riesgo más frecuente; está presente en casi el 80% de los pacientes que su-

fren un ataque cerebral en la Argentina.

> *Diabetes.* El control de la diabetes es esencial. En la Argentina, el 22% de los pacientes que sufren un ataque cerebral es diabético.

> *Alcoholismo.* El consumo excesivo de alcohol tiene una estrecha relación con el riesgo de sufrir hemorragias cerebrales.

> *Cigarrillo.* El riesgo de sufrir un ataque cerebral aumenta entre un 50% y un 70% en fumadores y el impacto es mayor en mujeres.

> *Colesterol elevado.* El colesterol aumenta el riesgo de que se tapen las arterias, incluidas las que van al cerebro.

Otros factores de riesgo que pueden ser controlados incluyen:

> *Sedentarismo.* La falta de actividad física puede aumentar el riesgo de enfermedades cardiovasculares.

> *Drogas ilícitas.* La cocaína y otras drogas se asocian a una mayor frecuencia de ataques cerebrales.

> *Obesidad.* La obesidad es un importante factor de riesgo y su presencia potencia a otros factores.

Pero como mencionamos anteriormente, existen otros factores de riesgo que no pueden ser controlados.

¿Cuáles son los factores de riesgo no controlables?
(Es importante reconocerlos para poder identificar indi-
viduos con un mayor riesgo de sufrir un ataque cerebral)

> *Edad.* El riesgo de sufrir un ataque cerebral se duplica a
   partir de los 55 años de edad.
> *Género.* Los hombres tienen mayor riesgo con respecto
   a las mujeres.
> *Herencia.* Las personas con antecedentes familiares de
   enfermedad coronaria o cerebrovascular constituyen
   un grupo de mayor riesgo.
> *Antecedentes personales.* Quienes ya sufrieron un ataque
   cerebral tienen mayor riesgo de tener otro.

¿Cómo puede prevenirse?
Si bien el riesgo de sufrir un ataque cerebral no puede
eliminarse por completo, puede trabajarse para disminuir la probabilidad de sufrir un evento mediante:
> Controles médicos regulares.
> Estricto control de la presión arterial.
> Abandono total del cigarrillo.
> Optimización y seguimiento médico de la dieta.
> Ejercicio físico bajo supervisión médica.
> Control estricto de la diabetes.

> Control y tratamiento de las enfermedades del corazón.

¿Cómo se diagnostica el ataque cerebral?

Un adecuado diagnóstico de los motivos del ataque cerebral es fundamental para poder prevenir un segundo evento, lo cual es de probabilidad relativamente alta.

Debe hacerse sobre la base de:

> Entrevista con el paciente y/o testigos del evento, más un profundo examen neurológico.
> Estudios cerebrales por imágenes (tomografía computada o resonancia magnética).
> Evaluación de flujo sanguíneo y lugares de sangrado (angiografía por resonancia magnética, angiotomografía, Doppler de arterias del cuello y/o transcraneal).
> Análisis de sangre para detectar alteraciones de la coagulación.
> Electrocardiograma y ecocardiograma para identificar fuentes de coágulos que pueden viajar hacia el cerebro.

¿Cómo se trata el ataque cerebral?

En los últimos años se han logrado importantes avances en el tratamiento del ataque cerebral. Como en otras emergencias médicas, la consulta debe hacerse inmediatamente ante la aparición del primer síntoma.

Si la persona que está sufriendo un ataque cerebral consulta en el curso de las primeras dos horas de aparecidos los síntomas, puede recibir un tratamiento especial que disuelve el coágulo que ha tapado la arteria cerebral. Por este motivo, ante la menor sospecha se debe concurrir inmediatamente al hospital. Lo que nunca debe hacerse es esperar a que los síntomas desaparezcan, porque es muy probable que nunca lo hagan.

Para más información, puede consultar la página:
http://www.ataquecerebral.org.ar/
Y la de la Sociedad Neurológica Argentina:
http://www.sna.org.ar/

Sociedad Neurológica Argentina